Le malaise
dans la culture

# Sigmund Freud

## Le malaise dans la culture

*Traduit de l'allemand par Pierre Cotet*
*René Lainé et Johanna Stute-Cadiot*

*Préface de Jacques André*

QUADRIGE / PUF

## NOTE DE L'ÉDITEUR

L'édition des *Œuvres complètes* de Freud est publiée en langue française avec l'autorisation de S. Fischer Verlag GmbH, Frankfurt am Main, et de la Sigmund Freud Copyright, Colchester, accordée aux éditeurs français Gallimard, Payot, Presses Universitaires de France.

Une large part du matériel critique est empruntée à la *Standard Edition of the Complete Psychological Works of Sigmund Freud*, London, The Hogarth Press and the Institute of Psycho-Analysis, édition établie par James Strachey, Alix Strachey, Alan Tyson et Angela Richards.

La présente traduction reproduit à l'identique celle qui figure dans le tome XIII des *Œuvres complètes de Freud / Psychanalyse (OCF.P)*. Elle tient compte de la révision effectuée par l'équipe éditoriale (J. Altounian, A. Bourguignon, P. Cotet, J. Laplanche, F. Robert). La cohérence entre les deux éditions (*OCF.P* et Quadrige) est assurée par A. Rauzy.

*En marge figure la pagination originale des* Gesammelte Werke.
*Les conventions relatives à la présentation de ces textes de S. Freud et les principales abréviations sont présentées en fin de volume.*

| | |
|---|---|
| *Direction de la publication* | André Bourguignon |
| | Pierre Cotet |
| *Direction scientifique* | Jean Laplanche |
| *Terminologie : Responsable* | Jean Laplanche |
| *Co-responsable* | François Robert |
| *Harmonisation* | Janine Altounian |
| *Notices, notes et variantes* | Alain Rauzy |
| *Glossaire et index* | François Robert |

ISBN 978-2-13-057977-9
ISSN 0291-0489

Dépôt légal — 1re édition « Quadrige » : 1995
7e édition : 2010, janvier

# Préface

*Schneewinkl, du côté de Berchtesgaden, le 28 juillet 1929 : « Très chère Lou... ce livre traite de la culture, du sentiment de culpabilité, du bonheur et d'autres choses élevées du même genre et me semble, assurément à juste titre, tout à fait superflu quand je le compare à mes travaux précédents qui procédaient toujours de quelque nécessité intérieure. Mais que pouvais-je faire d'autre ? Il n'est pas possible de fumer et de jouer aux cartes toute la journée. Je ne peux plus faire de longues marches et la plupart des choses qu'on lit ont cessé de m'intéresser. J'écris et le temps passe ainsi très agréablement. Tandis que je m'adonne à ce travail, j'ai découvert les vérités les plus banales. »*[1] *Dans la « tranquillité idyllique » de ce coin de Bavière, Freud aura ainsi rédigé le premier jet du* Malaise dans la culture *entre deux parties de cartes, histoire de passer le temps. Le contraste est complet entre ce côté dissertation estivale, un texte écrit en un mois, au fil de la plume, et les sombres accents qui dominent l'œuvre. A juste titre,* Malaise *est demeuré pour la postérité le symbole du pessimisme freudien.*

*En contrepoint du ton acerbe de sa critique de la religion,* L'avenir d'une illusion *(1927) affichait encore une espérance : celle du primat à venir de l'intellect, du règne attendu de la raison scientifique*[2]. *Rien de tel cette fois, comme si les espoirs encore permis deux ans auparavant n'avaient pas résisté aux dernières évolutions du monde contemporain. Ici, la menace aryenne. Là, le triomphe de l'illusion socialiste, en attendant les lendemains qui déchantent. Du communisme, Freud dira avec ironie que la rencontre avec un ardent militant l'y avait à moitié converti : ce dernier affirmait que l'avènement du bolchevisme amènerait quelques années de misère et de chaos mais qu'elles seraient suivies de la paix universelle. Il lui répondit qu'il croyait à la première moitié du programme*[3]. *La vieille Europe est mal en point, et ce n'est pas de l'Amérique — où menace un autre danger culturel : la « misère psychologique de la masse » (p. 58) — que l'on peut attendre quelque réconfort.*

---

1. Lettre de S. Freud à Lou Andreas-Salomé.
2. *Œuvres complètes-Psychanalyse (OCF-P)*, t. XVIII, PUF, 1995.
3. Cité par E. Jones, *La vie et l'œuvre de Sigmund Freud*, t. III, PUF, 1969, p. 18.

*Sombre tableau,* Malaise *a la couleur de son temps; la haine, l'agression, l'auto-anéantissement en donnent le ton psychanalytique. Sinistre présage,
Freud dépose son manuscrit chez l'imprimeur en novembre 1929, tout juste une
semaine après le « mardi noir » de Wall Street (29 octobre). Les derniers
mots de la première édition conservaient malgré tout un vague espoir dans les
efforts de l' « Eros éternel », le grand rassembleur. Un an plus tard, lors de
la seconde édition — les 12 000 premiers exemplaires ont été rapidement ven-
dus, Freud est devenu un homme célèbre —, la dernière phrase ajoutée assom-
brit la perspective : entre les deux adversaires, Eros et la pulsion de mort,
« qui peut présumer du succès et de l'issue ? ». Entre ces deux versions, il y a
septembre 1930, l'entrée en masse des nazis au Reichstag. Hasard ou ironie de
la géographie, Berchtesgaden, où fut conçu* Malaise, *évoque avant tout, pour
nous aujourd'hui, le « nid d'aigle » et son hôte barbare.*

*Dans le commentaire psychanalytique post-freudien,* Malaise *a été souvent prolongé[1] — l'aggravation du « malaise », jusqu'à rendre le mot déri-
soire, y invite —, plus rarement discuté dans son détail. L'ouvrage, pourtant,
du seul point de vue analytique, ne manque pas de ressources, posant plus de
questions qu'il n'apporte de réponses, ouvrant plus de pistes qu'il ne peut en
suivre. Il constitue, en particulier, un exemple des remaniements imposés par le
« tournant de 1920 », par l'introduction de la pulsion de mort; sur des points
essentiels, qu'il s'agisse de l'angoisse, du surmoi et, bien sûr, du dualisme
pulsionnel.*

## Narcissisme de la haine

Le malaise dans la culture *s'ouvre par des considérations sur le narcissisme, ce brouilleur de cartes par qui la sexualité s'est introduite au cœur du
moi, et dont la prise en compte (en 1914) devait ultérieurement conduire à la
révision du dualisme pulsionnel. Romain Rolland et son « sentiment océanique » — dans lequel l'homme de lettres voit la source de la religiosité —
donnent à Freud l'occasion de préciser une nouvelle fois l'idée qu'il se fait du
narcissisme de la première enfance et surtout, au regard du projet général de*
Malaise, *de rappeler une conception de la haine et de l'agressivité qui, pour
être antérieure à 1920, n'en conserve pas moins sa pertinence. Dans des pages*

---

1. On lira notamment : J.-B. Pontalis, Permanence du malaise, in *Le temps de la réflexion,*
IV, 1983 ; et le numéro de la *Revue française de psychanalyse* (t. LVII, 4, PUF, 1983) intitulé :
« Malaise dans la civilisation » (en particulier l'art. de A. Green : Culture(s) et civilisation(s),
malaise ou maladie ?).

*qui doivent plus aux travaux de Federn sur le moi que la rapide allusion en note (p. 8, n. 1) ne le donne à entendre, Freud décèle, derrière l' « océan » de son ami français, l'effacement narcissique de la frontière entre le moi et l'objet caractéristique aussi bien de l'état amoureux que de la psychose; un effacement trouvant sa source dernière chez le nourrisson, l'enfant du désaide (Hilflosigkeit).* Poor inch of Nature... *Cet enfant-là, réduit aux « cris d'appel à l'aide » pour apaiser ses tensions internes, occupe dans les textes de cette période (notamment* Inhibition, symptôme et angoisse *et* L'avenir d'une illusion*) une place de choix, à dire vrai une place fondatrice des particularités de la vie psychique.*

*Le narcissisme illimité du tout jeune enfant — « être-un avec le Tout », abolir le temps (« éternité ») comme l'espace (« sans bornes ») —, ce narcissisme comment le comprendre? Comme un état quasi autistique, indifférencié*[1]*? Freud écrit : le nourrisson ne fait pas encore le départ entre son moi et le monde extérieur (p. 8). Ou plutôt comme un processus? Dire du « sentiment océanique » qu'il aspire à* réinstaurer *le narcissisme illimité (p. 14), c'est le décrire comme la répétition de ce qui était déjà un premier développement, une première instauration. Dans ce débat classique sur la nature du narcissisme primaire (état ou résultat d'un développement?), plusieurs indications dans les textes de cette période invitent à penser celui-ci — au-delà de ce que Freud soutient explicitement — comme la réponse psychique appropriée à l'illimité de la détresse infantile. La toute-puissance de l'enfant, comme celle par lui accordée aux parents, serait l'élaboration psychique rudimentaire de son absolue impuissance. Ainsi le père primitif, celui dont l'arbitraire était à la mesure du narcissisme : « illimité » (p. 43), et dont Freud retrouve ailleurs les caractéristiques dans la figure du meneur des masses (« absolument narcissique »)*[2]*, ce père-là, tout comme le « sentiment océanique », prendraient leur source dans la réponse démesurée de l'enfant à l'Hilflosigkeit.*

*Ces formes archaïques du narcissisme conduisent au* malaise, *sans qu'elles constituent elles-mêmes l'objet de la réflexion. Si l' « illimité » retient l'attention de Freud, c'est qu'il porte en lui les germes de la haine et de l'agression. Sera à « supprimer », ou à « éviter », tout ce qui s'oppose à la « domination sans bornes » de Narcisse. De la violence de cet antagonisme il résulte une tendance, celle de mettre à part du moi tout ce qui peut devenir source de déplaisir, « de le jeter à l'extérieur, de former un moi-plaisir pur auquel s'op-*

---

1. Cf. Freud, Formulations sur les deux principes du cours des événements psychiques (1911), in *Résultats, idées, problèmes I*, PUF, 1984, p. 136-137, n. 2.
2. Psychologie des masses et analyse du moi, *OCF-P*, t. XVI, PUF, 1991, p. 63.

*pose un dehors étranger et menaçant* » *(p. 8). Ainsi que Freud l'écrivait quelques années plus tôt :* « *Le mauvais, l'étranger au moi, ce qui se trouve à l'extérieur est pour [le moi-plaisir originel] tout d'abord identique.* »[1] *La conception de la haine comme émanation du moi est en fait une idée plus ancienne encore. Dans un passage de* Pulsions et destins de pulsions *(1915), formulé dans les termes du premier dualisme pulsionnel (« faim et amour »)* — *et ne prenant pas en compte la sexualité narcissique, pourtant introduite un an plus tôt —, il est écrit :* « *Les prototypes véritables de la relation de haine ne sont pas issus de la vie sexuelle, mais de la lutte du moi pour sa conservation et son affirmation.* »[2]

*Il importe de peser les conséquences métapsychologiques d'une telle construction. L'objet, en premier lieu le sein maternel (p. 8), celui-là même qui se constitue à force de se soustraire et de se perdre, l'objet, donc, en tant que désiré et parce qu'il échappe à l'enveloppement narcissique, est par principe haïssable. Ce que je ne peux absorber,* « *je veux le cracher* »[3]. *L'objet, la distance qui le constitue, l'écart vis-à-vis du moi dans lequel il se tient, font injure à l'omnipotence infantile.*

*Le moi-plaisir pur et la clôture narcissique qui l'instaure ont la haine pour l'objet comme nécessaire corrélat. C'est indiquer en négatif de quel côté se situe l'amour, tout au moins son prototype : non plus dans un mouvement de détournement vis-à-vis du monde extérieur mais en* « *se cramponnant au contraire aux objets de celui-ci* » *(p. 25). Le narcissisme illimité et la haine associée transforment la détresse infantile en omnipotence. L'amour, par contre, prend le risque de maintenir l'individu dans l'*Hilflosigkeit, *toujours au bord de l'angoisse de perdre l'amour :* « *Jamais nous ne sommes davantage privés de protection contre la souffrance que lorsque nous aimons, jamais nous ne sommes davantage dans le malheur et dans le désaide que lorsque nous avons perdu l'objet aimé ou son amour* » *(p. 25). On est seul dans la haine, on est deux dans l'amour ; ce dernier exercice introduit, en même temps qu'une pluralité, une dépendance psychiquement périlleuse.*

*Le moi, le narcissisme, la haine... c'est dans l'ordre collectif que* Malaise *tente d'en saisir la combinatoire. Les malheurs de la culture, ceux que Freud a connus, plus encore ceux qui ont suivi, confèrent à l'expression* « *moi-plaisir*

---

1. La négation (1925), *OCF-P*, t. XVII, PUF, 1992, p. 169.
2. *OCF-P*, t. XIII, PUF, 2ᵉ éd., 1994, p. 185. Absent de ce passage, le narcissisme est cependant pris en compte en d'autres lieux du même texte, notamment quand il est question du retournement sur la personne propre (*op. cit.*, p. 178-179).
3. *OCF-P*, t. XVII, *op. cit.*, p. 168.

*pur »* toute sa *portée* politique. *Pureté (de la race, de la croyance, de l'idéo-logie), épuration, purge, purification... le moi, le pur et la haine hantent le même territoire. En face l'impur est à cracher, à détruire.*

*Contre ce qui la menace ainsi de désagrégation, la communauté culturelle érige des « formations réactionnelles psychiques ». A l'opposé des haines ter-ritoriales, elle prône l'amour. Non l'amour d'objet : celui-là isole et ne contribue au lien social qu'au prix de l'inhibition quant au but. Mais l'amour universel : « Aime ton prochain comme toi-même. » Une inflation aussi grandiose de l'amour, remarque Freud, porte la marque de son origine narcissique, elle en épouse aussi la logique : la négligence de l'objet, de sa singularité, au profit d'un universalisme vide (p. 45, 52, 54, 87). Rien d'étonnant si de cet amour réactif resurgit bientôt la haine première : l'in-vention par les chrétiens de « l'universel amour des hommes » donna le signal des premières destructions antisémites (p. 57). L'universel s'arrête là où le bouc émissaire commence.*

*Comme on le voit, dans la redistribution du dualisme pulsionnel à laquelle Freud se livre à partir de 1920, le narcissisme (la libido du moi) est loin d'être passé avec armes et bagages entièrement du côté d'Eros. Dans une formulation, il est vrai provisoire,* Au-delà du principe de plaisir *avait même assimilé pulsions du moi et pulsion de mort[1] — soulignant ainsi ce que la théorisation de la pulsion de mort, pulsion d'*auto-destruction, *doit à l'introduction du narcissisme. Quand bien même la théorie freudienne ne s'est pas tenue à cette trop simple équivalence, elle n'en soutient pas moins que la haine pour l'objet, pour tout ce qui sépare, cette haine située au cœur du narcissisme fait de celui-ci un pôle de destructivité : « Dans les aver-sions et répulsions qui, sans voile, se font jour à l'égard des étrangers qui sont à proximité, nous pouvons reconnaître l'expression d'un amour de soi, d'un narcissisme qui aspire à son auto-affirmation et se comporte comme si la présence d'un écart par rapport aux modalités de sa conformation indi-viduelle entraînait une critique de ces dernières et une invitation à les recon-figurer. »[2] Cette idée d'une intolérance spéculaire du narcissisme à la « petite différence »,* Malaise *la reprend à son compte et prend le temps de l'illustrer (p. 56)[3].*

---

1. In *Essais de psychanalyse,* PB Payot, 1981, p. 89 et 100-101.
2. *OCF-P,* t. XVI, *op. cit.,* p. 40.
3. La première occurrence du « narcissisme des petites différences » se trouve dans un texte de 1918 : Le tabou de la virginité, in *La vie sexuelle,* PUF, 1969, p. 72.

## Agression et alliages pulsionnels

*Il en va de l'agression (le mot allemand* Aggression *condense les deux sens d'agression et d'agressivité) comme de la haine, elle n'a pas attendu le remaniement de 1920 et* Malaise — *où elle prend une place importante — pour avoir été reconnue par la théorie freudienne. « La sexualité de la plupart des hommes comporte une adjonction d'*agression *», est-il écrit dans les* Trois essais[1]. *Plus spécifiquement, Freud a souligné qu'il est des pulsions pour lesquelles l'agression est indissociable du but poursuivi. C'est le cas de la sexualité anale, ou sadique-anale. L'anal, remarque Freud à la suite de Lou Andreas-Salomé, est le « symbole de ce qui est à rejeter, à éliminer de l'existence »[2]. Ces connexions,* Malaise *les retrouve à l'échelle culturelle. Les communistes ont cru pouvoir délivrer l'homme du mal en abolissant la propriété privée (p. 45) ; c'était en oublier les racines pulsionnelles : la première propriété est anale (p. 56), propriété des fèces se constituant comme telle au moment où l'enfant se résout à s'en dessaisir, à en faire cadeau. Supprime-t-on la propriété, la pulsion sous-jacente s'en trouve déliée, libre de renouer avec le but qui est fondamentalement le sien : éliminer. Qu'est-ce qu'entreprendront les Soviets « une fois qu'ils auront exterminé leurs bourgeois ? » (p. 57)[3].*

*Au-delà de l'évidence du sadisme, Freud a tenu à marquer la part d'agression qui tient à la pulsion en tant que telle, à sa* poussée, *à son « mépris » de l'objet — de tous les composants de la motion pulsionnelle, le plus interchangeable. Définie comme un « morceau d'activité », la pulsion comprend l'agression comme l'un de ses ingrédients. Quand Freud, dans* Malaise, *évoque le bonheur lié à « la satisfaction d'une motion pulsionnelle sauvage, non domestiquée par le moi », ou la façon dont l'assouvissement des « motions pulsionnelles grossières et primaires » ébranle la corporéité (p. 12), l'agressivité est dans les mots choisis pour décrire la chose.*

*C'est même cette part d'agression propre à la pulsion qui lui avait d'abord fait refuser, contre Adler, l'idée d'une pulsion d'agression auto-*

1. *Trois essais sur la théorie sexuelle* (1905), Gallimard, 1987, p. 69.
2. *Ibid.*, p. 113.
3. Ce ne sont là que des indices dans le texte de Freud mais ils invitent à prolonger la réflexion. Sous la Révolution française, gravures et estampes connaissent un infléchissement scatologique avec la Terreur. Quelle est la contribution de la sexualité anale aux politiques d'épuration ? L'articulation avec l'homosexualité masculine (où narcissisme et analité conjuguent leurs forces) mériterait également d'être approfondie. A noter que Freud, dans *Malaise*, reprend en filigrane l'idée d'une connivence entre développement culturel et homosexualité masculine sublimée (p. 33, n. 1, et 43).

nome[1]. *L'agression, écrivait-il alors, est une caractéristique des pulsions, aussi bien d'autoconservation que sexuelle ; pas besoin d'une pulsion supplémentaire. A la même époque, cependant, les* Trois essais *nuançaient déjà le propos : l'agression est-elle à proprement parler un facteur de la libido ? N'aurait-elle pas sa véritable source du côté de l'* « appareil d'emprise », *lequel est au service de l'autoconservation[2] ? Le même raisonnement conduira Freud à reconnaître les prototypes de la haine dans la lutte du moi pour son affirmation. Un raisonnement qui, via les pulsions du moi, ouvrait sur le dualisme ultérieur : libido-destructivité.*

La façon dont la problématique de l'agression est introduite dans Malaise *n'est pas seulement le prolongement de la découverte de 1920. Elle s'inscrit tout autant dans le fil des élaborations antérieures. Comment se fait-il, se demande Freud, qu'il n'y ait de communauté culturelle qui n'en vienne à imposer à ses membres une restriction de la vie sexuelle ? Pourquoi cette opposition de la culture à la sexualité ? Il doit exister un* « facteur perturbant que nous n'avons pas encore découvert » *(p. 51). Ce facteur, l'* « hostilité primaire » — *fille de la pulsion de mort* —, *le texte l'isole au terme d'un raisonnement dont le point de départ est l'excès du sexuel. Au-delà de ce qu'Eros est susceptible de lier, de réunir, se rencontre l'agression,* dépôt de « toutes les relations tendres et amoureuses entre les hommes » *(p. 56). Ou encore, en des termes qui invitent à la formule : la pulsion de mort est le* reliquat d'Eros *(p. 63).*

Cette déduction de la destructivité à partir de ce qu'il y a d'inconciliable dans la sexualité avec la vie de la culture tient pour une part à la solidarité des deux registres pulsionnels. Freud le rappelle : hors de son alliage avec Eros, la pulsion de mort demeure insaisissable. Ce point de vue sera constamment réaffirmé : aucune des deux pulsions n'intervient jamais seule[3]. De cette intrication, le sadisme est l'exemple simple. Mais même la* « rage de destruction la plus aveugle » *n'est pas exempte d'une participation libidinale, en la circonstance narcissique, au travers de l'accomplissement des souhaits les plus anciens de toute-puissance (p. 63-64).*

La confusion précédemment évoquée, entre pulsions du moi et pulsion de mort, se double d'une autre confusion possible : entre pulsion sexuelle et pul-*

---

1. Analyse d'une phobie chez un petit garçon de 5 ans (1909), in *Cinq psychanalyses*, PUF, 1954, p. 193.

2. *Trois essais, op. cit.*, p. 70-71.

3. L'analyse avec fin et l'analyse sans fin (1937), in *Résultats, idées, problèmes II*, PUF, 1985, p. 258.

*sion de mort cette fois. En soulignant que le seul véritable but de la pulsion sexuelle est la décharge, le retour au zéro de l'excitation*[1], *Freud décrivait une économie libidinale qu'il retrouvera plus tard, sans profonde modification, sous les auspices du principe de Nirvâna. La théorisation de la pulsion de mort comme tendance à dissoudre les unités rassemblées par Eros (p. 60) reprend à son compte les éléments « sauvages », « non domestiqués » du* Trieb *d'avant 1920. Le principe de plaisir va au-delà du plaisir, jusqu'à mettre l'organisme en péril*[2]. *Les frontières conceptuelles se brouillent, ce qui contraindra Freud, en 1924, à remettre un peu d'ordre, à écarter l'un de l'autre le principe de plaisir et le retour au zéro*[3].

*Ce n'est pas le lieu de parcourir en détail les questions fort complexes posées par l'introduction de la pulsion de mort dans la théorie psychanalytique*[4], *notamment celle de l'articulation entre premier et second dualismes. Il importe seulement de remarquer que* Malaise, *qui tente de confirmer par l'analyse de la « psychologie collective » l'hypothèse de la pulsion de mort, d'abord s'inscrit dans le fil d'élaborations antérieures, ensuite renonce à exhiber ce qui serait une pure manifestation de la pulsion en question, c'est-à-dire dégagée de toute combinaison libidinale. Ce n'est pourtant pas, quelques années après la première guerre mondiale et sur fond des premiers signes de la catastrophe à venir, que Freud ait manqué d'exemples de haine, d'agression, de destruction. Cela étant, c'est-à-dire la présence du sexuel là même où on le croirait absent, l'affirmation de la pulsion de mort ne peut résulter que d'un saut théorique, et non de la seule expérience — même si c'est l'expérience (du psychanalyste) — celle du* conflit *psychique, individuel ou culturel et de la* dualité *des forces en présence qui exige un tel moment spéculatif. La démarche de* Malaise, *la façon dont la pulsion de mort s'impose comme hypothèse (p. 60), est homogène à celle, d'abord théorique, qui caractérise* Au-delà du principe de plaisir.

---

1. Cf. *OCF-P*, t. XIII, *op. cit.*, p. 169.

2. Au-delà du principe de plaisir, *op. cit.*, p. 46.

3. Le problème économique du masochisme, in *OCF-P*, t. XVII, *op. cit.*, p. 11-12.

4. On pourra se reporter à l'ouvrage collectif : *La pulsion de mort* (Green, Ikonen, Laplanche, Rechardt, Segal, Widlöcher, Yorke), PUF, 1986. Dans cet ouvrage J. Laplanche soutient la thèse d'une pulsion de mort à entendre comme « pulsion sexuelle de mort », héritière de ce qu'est le sexuel délié dans le premier dualisme, un sexuel non résorbé par Eros. En insistant sur la « fonction désobjectalisante », A. Green, quant à lui, étaye le pont qui relie narcissisme et pulsion de mort ; jusqu'à la conception d'un « narcissisme de mort ». H. Segal, pour son compte et celui de la théorie kleinienne, soutient la possibilité clinique de reconnaître la pulsion de mort (identifiée à l'autodestruction), hors de tout alliage avec le registre libidinal.

## L'agression au-dedans

*Tant qu'elle s'en tient au point de vue de l'agression externe, la contribution du Malaise dans la culture à la théorie de la pulsion de mort est plutôt mince, voire en retrait par rapport aux audaces de 1920. La pulsion de mort était alors définie comme un processus fondamentalement interne, une pulsion d'autodestruction. Au cœur des êtres vivants pluricellulaires, la pulsion de mort « voudrait décomposer cet être cellulaire et y faire passer chaque organisme élémentaire individuel dans l'état de stabilité anorganique »*[1]*. Si les dernières lignes de Malaise envisagent bien la destructivité en termes d' « auto-anéantissement » (« les hommes sont maintenant parvenus si loin dans la domination des forces de la nature qu'avec l'aide de ces dernières il leur est facile de s'exterminer les uns les autres jusqu'au dernier »), c'est néanmoins le registre de l'agression dérivée vers l'extérieur qui est principalement évoqué.*

*Ce déplacement de l'interne vers l'externe, de l'intériorité (celle de l'individu ou de la culture, envisagée comme un être psychique collectif) vers ce qui se passe entre les hommes, est un mouvement qui conduit Freud hors du champ propre de la psychanalyse, l'amenant à retrouver les « vérités les plus banales ». Voire des « vérités » précisément remises en question par l'analyse, telle la méchanceté naturelle : l'homme est un loup pour l'homme (p. 54). « L'homme est un loup pour lui-même » serait déjà plus proche de ce qui fait l'originalité de la découverte analytique. Il est possible que Freud, par-delà ce qui s'impose à lui (le caractère secondaire de la déflexion de l'agression vers l'extérieur), n'ait jamais complètement renoncé à l'idée d'une agressivité primitive. Le passage d'une lettre à Marie Bonaparte du 27 mai 1937 (où, dans la formulation, se mêlent encore une fois les deux dualismes) le donne à penser : « On pourrait schématiquement imaginer qu'au début de la vie toute la libido serait dirigée vers l'intérieur et toute l'agressivité vers l'extérieur et que ceci changerait graduellement au cours de la vie. Mais c'est peut-être faux. »*[2]

*L'apport le plus vif de Malaise au débat psychanalytique coïncide avec ce moment où le texte fait retour de l'extérieur vers le dedans, lorsque l'agression est « renvoyée là d'où elle est venue, donc retournée sur le moi propre » (p. 66). Suivent une vingtaine de pages, très denses, parfois laborieuses (Freud s'excuse des « dangers de la répétition » (p. 71)), où le surmoi, le sentiment de culpabilité (et le malaise qui en résulte dans l'ordre culturel)*

---

1. *OCF-P*, t. XVII, *op. cit.*, p. 15.
2. Cité par E. Jones, *op. cit.*, p. 522.

constituent l'objet de la théorisation. De l'ampleur et de la complexité des enjeux que ces pages recèlent, il n'est ici possible que d'indiquer les débuts de pistes.

Du surmoi Freud écrit qu'il exerce « la même sévère propension à l'agression que le moi aurait volontiers satisfaite sur d'autres individus étrangers » (p. 66). Maltraitant, tourmentant, angoissant le moi, c'est un surmoi d'une dureté, d'une sévérité extrêmes qui est ainsi décrit. Loin d'être apaisé par le renoncement pulsionnel, il s'en trouve d'autant plus excité, poussant toujours plus avant son avantage. Plus l'homme est vertueux, plus le surmoi se fait méfiant et torturant. Ce paradoxe a son répondant dans le processus qui donne naissance à l'instance critique : que le père se montre indulgent et le surmoi de l'enfant sera extrêmement sévère (p. 74, n.). L'agression du surmoi « ne reproduit nullement la sévérité du traitement » connu pendant l'enfance (p. 73) ; on serait tenté de dire qu'elle lui est inversement proportionnelle.

Pour saisir la nouveauté de tels propos sous la plume de Freud, il suffit de rappeler ce qu'il écrit dans Le moi et le ça (1923) : « Le surmoi conserve le caractère du père, et plus le complexe d'Œdipe fut fort (...) plus le surmoi (...) dominera sévèrement le moi. »[1] Dans ces pages de Malaise, Freud est loin de lui-même (plus exactement : loin d'un autre Freud), mais par contre très proche de Melanie Klein. Les quelques mots de reconnaissance adressés à cette dernière en bas de page (p. 73) ont valeur d'événement, même si la dette concédée est atténuée par l'inclusion dans l'ensemble : « auteurs anglais ». Il fut sans doute malaisé à Freud d'accorder quoi que ce soit à celle qu'une virulente polémique opposait au même moment à sa propre fille, Anna, au sujet de la psychanalyse d'enfants. Le nom de Melanie Klein n'aura pas l'honneur d'une autre citation, même si l'influence de ses conceptions est repérable ici ou là[2]

A suivre plus précisément l'histoire conceptuelle, il faut noter que la représentation kleinienne du surmoi, quelle qu'en soit l'originalité, emprunte elle-même à certains développements de Freud plus anciens. A côté des énoncés qui profilent un surmoi (œdipien) bâti sur le modèle introjecté de la rigueur paternelle, l'idée d'un surmoi ayant avec le ça des relations intimes, plongeant profondément dans celui-ci[3], cette idée on peut en suivre la trace dans l'œuvre de

---

1. *OCF-P*, t. XVI, *op. cit.*, p. 278.
2. Par exemple dans la description des fantaisies inconscientes de la fille pré-œdipienne : La féminité, *in* Nouvelle suite des leçons d'introduction (*OCF-P*, t. XIX, p. 195).
3. *OCF-P*, t. XVI, *op. cit.*, p. 291.

Freud, *au moins depuis l'analyse de l'*Homme aux rats[1]. *Dès lors l'écart s'estompe entre surmoi et ça; chez Melanie Klein, qui ne fait du « ça » aucun usage, l'écart disparaît tout à fait, en même temps que cesse d'être décisive la connexion avec l'ensemble : morale/culpabilité/interdit, en contradiction sur ce point avec Freud. Tout comme la pulsion, l'impératif surmoïque recherche l'accomplissement. La poussée du surmoi, elle aussi, tend vers la décharge : jusqu'à ce que soit éventuellement commis l'acte (criminel), seul capable de satisfaire* le besoin de punition[2].

*Sans doute Freud, en veine de conciliation, module-t-il immédiatement l'importance de l'innovation : « La sévérité de l'éducation exerce aussi une forte influence sur la formation du surmoi enfantin » (p. 73). Cela ne doit pas masquer l'importance du déplacement théorique. En même temps que le surmoi héritier du complexe paternel s'efface devant une représentation pulsionnelle de la même instance, le complexe d'Œdipe perd la position nucléaire qui lui est habituellement reconnue. Hormis le bref rappel de sa version paléontologique (p. 74), il est remarquable que* Le malaise dans la culture *ne fasse aucun usage dudit complexe. Le noyau des névroses n'est pas celui du conflit intraculturel dont Freud cherche à saisir les composants dans ce texte. S'il en fallait une confirmation, il suffirait d'ajouter que l'angoisse de castration est, elle, totalement absente de l'argumentation. Pas une fois, il n'y est fait référence.*

*Certes, l'absence du mot n'est pas nécessairement celle de la chose. Lorsque Freud note que l'homme est poussé dans la voie du progrès technique par le souci de perfectionner ses organes, de faire « disparaître les limites de leurs performances » (p. 33), on se dit que, de façon implicite, l'angoisse de castration est bien la puissance incitante d'un tel développement. Mais précisément : c'est mettre en exergue les potentialités de création, de symbolisation d'une telle angoisse (de la taille toujours insuffisante du pénis à celle, conquérante, du télescope), c'est la situer du côté du progrès de la culture, non de son « malaise » et de ce qui la déchire jusqu'à la détruire.*

*Il faudrait prendre le temps de montrer la complexité des équilibres au sein de la théorie freudienne, et la fragilisation de l'édifice que provoque l'introduction de la pulsion de mort. On peut en donner une brève illustration :* Inhibition, symptôme et angoisse *(1926) est un texte centré sur l'angoisse de castration, s'efforçant (même si c'est pour ne pas y parvenir) de contenir sous*

---

1. Remarques sur un cas de névrose obsessionnelle (1909), in *Cinq psychanalyses, op. cit.* Cf. le commentaire de J. Laplanche : *Problématiques I, L'angoisse,* PUF, 1980, p. 279 sq. et p. 354 sq.
2. *OCF-P,* t. XVI, *op. cit.,* p. 295.

ce registre toute la question de l'angoisse. *Cette omniprésence de l'angoisse de castration a pour répondant l'absence de la pulsion de mort.* Le malaise dans la culture, *par contre, qui fait à la pulsion de mort une place centrale n'évoque pas une fois l'angoisse de castration.*

*Complexe d'Œdipe et angoisse de castration délimitent l'espace névrotique. L'introduction de la pulsion de mort, après celle du narcissisme (que Freud a découvert d'abord dans la perversion, avec l'homosexualité de Léonard de Vinci, et dans la psychose, avec Schreber) conduisent aux confins d'un espace psychique autrement (dés)organisé. C'est également sensible dans le texte frère de* Malaise : L'avenir d'une illusion, *où la religion est davantage envisagée sous l'angle de l'idée délirante que de la compensation névrotique. Le rôle paradigmatique que psychose et pathologies narcissiques joueront pour la psychanalyse post-freudienne est esquissé par la redistribution de 1920.*

*La notion de sentiment de culpabilité qui, selon Freud, divise la culture d'avec elle-même, jusqu'au* malaise[1], *cette notion est exemplaire de l'entrecroisement des problématiques freudiennes ; elle en est comme un point de condensation. La culpabilité évoque la faute et, au-delà, l'enchaînement œdipien : désir-interdit-transgression. Cette articulation est rappelée par Freud, et avec elle le récit du meurtre du père (p. 74, 80). Au sein de l'expérience culturelle, les religions (plus particulièrement monothéistes) représentent le plus exactement la variante collective de la résolution d'un tel conflit, opposant un « Tu ne tueras pas » au désir de la mort du père.*

Malaise *peut en rappeler l'argumentation, son accent porte néanmoins ailleurs, davantage en amont, du côté de la destruction de l'étranger et de l'auto-anéantissement ; c'est-à-dire avant que la destructivité n'ait trouvé à se couler dans le moule du conflit névrotique. La réflexion sur la culture conduit Freud là où l'a déjà mené la découverte de la réaction thérapeutique négative dans la cure[2]. Plus que le sentiment de culpabilité, c'est alors le* besoin de punition, *avec ce qu'il évoque d'une élaboration psychique rudimentaire, proche de la source pulsionnelle (p. 79), qui paraît le plus apte à restituer le caractère* délié *des forces en présence, et d'abord celle du surmoi.*

---

1. Après avoir renoncé à « malheur », Freud retient donc « malaise ». « Curieux mot », comme l'écrit J.-B. Pontalis, qui ne permet « ni diagnostic assuré, ni pronostic probable ; il désarme notre savoir, échappe à toute prise » (art. cité, p. 409).

2. *OCF-P*, t. XVI, *op. cit.*, p. 292.

## Genèses du surmoi

*Au regard de la théorie psychanalytique, c'est sans doute à propos du surmoi, de sa genèse, que* Malaise *ouvre sur les interrogations les plus fécondes.*

*La genèse névrotique, œdipienne du surmoi est suffisamment connue pour que l'on se contente de la rappeler en quelques mots : sous la menace de l'angoisse de castration, le moi de l'enfant (tout au moins du garçon) se détourne de l'investissement d'objet incestueux. L'autorité paternelle introjectée forme le noyau du surmoi, « lequel emprunte au père sa sévérité » et perpétue son interdit[1]. D'une telle genèse, l'angoisse de castration est le véritable moteur et l'énoncé conséquent en porte la trace : « Si tu désires, tu seras châtré. »*

*En même temps que l'angoisse de castration est absente de* Malaise, *Freud est conduit à une conception du surmoi (combinant impératif catégorique et exigence pulsionnelle) sensiblement distincte de la précédente. A quelle autre source que l'angoisse de castration l'instance critique ainsi repensée peut-elle bien puiser la violence qui la constitue ? A cette question il existe une réponse kleinienne, comme est kleinienne la théorie du surmoi dont Freud se rapproche. Lorsque celui-ci écrit (p. 73) que la sévérité du surmoi représente moins celle de l'objet que celle de l'agression dirigée contre lui — une agression alors retournée vers l'intérieur, contre le moi —, il épouse autant que possible le point de vue de l' « auteur anglais »[2]. Or, il est remarquable que cette réponse toute trouvée (mais fondée sur le postulat d'une agressivité primitivement orientée vers le dehors, projective), si Freud un instant semble la faire sienne, n'est pas celle à laquelle il se tient. La voie qu'il préfère suivre maintient, d'une certaine façon, l'armature de la première conception (œdipienne) : à travers la référence à une « influence extérieure » (à la différence de l'endogenèse, de l'innéisme kleiniens) et dans le rapport maintenu entre le surmoi et l'angoisse. Mais au regard de cette première théorie,* tout se trouve décalé, vers l'amont. *L'enfant de ce surmoi nouvelle manière n'est plus l'enfant œdipien (ni*

---

1. La disparition du complexe d'Œdipe (1924), *OCF-P*, t. XVII, *op. cit.*, p. 30.
2. Cf. également Angoisse et vie pulsionnelle (1933), *in* Nouvelle suite des leçons d'introduction (*OCF-P*, t. XIX, p. 164).

*seulement le garçon) mais celui de* l'Hilflosigkeit, *du désaide ; celui-là même que les premières pages de* Malaise *évoquent. L'« influence extérieure » (que reflète le surmoi) n'est plus celle du père qui dit « non » et menace de castration mais celle plus archaïque de « l'autre surpuissant » (p. 67), « l'autorité inattaquable » (p. 72), « les parents » plutôt que le père seul. L'angoisse n'est plus de castration, mais devant la perte d'amour de la part de l'objet. Le sentiment de culpabilité, « variété topique de l'angoisse » (p. 78), ne demande qu'à suivre : on est alors coupable de l'amour perdu, coupable de ne pas être aimé. La névrose de contrainte est l'horizon du surmoi première manière, la mélancolie (mais aussi l'hystérie et son noyau de passivité pulsionnelle) se profile en toile de fond du second.*

*Cette nouvelle genèse du surmoi n'annule pas la précédente — d'une certaine façon elle l'englobe, tant il est vrai que la détresse devant la perte d'amour est intensément revécue dans la situation œdipienne, avant de se « qualifier » en angoisse de castration. Inévitablement, cependant, elle la secondarise.*

*Sans doute est-on loin d'avoir épuisé les possibilités théorico-cliniques offertes par ces remaniements tardifs auxquels Freud se livre. Faut-il dire « tardifs » ? Avec Freud, les cheminements conceptuels multiplient volontiers les aller-retour, suivent rarement une progression linéaire. Il n'est guère de piste par lui tardivement empruntée qui n'ait été au moins entr'aperçue dans le temps de naissance de la psychanalyse. C'est en 1895, dans l'*Esquisse d'une psychologie scientifique, *que Freud écrivait cette phrase restée longtemps sans suite : « Die anfängliche Hilflosigkeit des Menschen ist die Urquelle aller moralischen Motive. »*[1] *(Le désaide initial de l'être humain est la source originaire de tous les motifs moraux).*

Jacques ANDRÉ.

---

1. *Aus den Anfängen der Psychoanalyse,* Londres, Imago publishing Co., 1950, p. 402 (*La naissance de la psychanalyse,* PUF, 1956, p. 336).

# Le malaise dans la culture

# DAS UNBEHAGEN IN DER KULTUR
## 1929 [1930 *a*]

*Première publication*

1930    Wien, Internationaler Psychoanalytischer Verlag, 136 p.

*Autres éditions allemandes*

1931    2ᵉ éd., avec quelques ajouts.
1934    *Gesammelte Schriften*, t. XII, p. 29-114.
1948    *Gesammelte Werke*, t. XIV, p. 421-506.
1974    *Studienausgabe*, t. IX, p. 197-270.

*Traduction anglaise*

1961    *Standard Edition*, t. XXI, p. 64-145 : Civilization and its Discontents.

*Première traduction française*

1943    *Malaise dans la civilisation*, traduit par Ch. et J. Odier, *Rev. franç. Psychanal.*, 7 (4), p. 692-769, et Paris, Denoël et Steele, 81 p.
1971    Réédition, Paris, Presses Universitaires de France, 107 p.

C'est en juillet 1929 que Freud travailla à l'ébauche de cet essai, qu'il appela d'abord *Das Glück und die Kultur* (Le bonheur et la culture), puis *Das Unglück in der Kultur*[1] (Le malheur dans la culture), avant de lui donner son titre définitif.

Le 14 juillet, Freud écrivait à Romain Rolland : « Votre lettre du 5 décembre 1927[2] et ses remarques sur le sentiment que vous nommez "océanique" ne m'ont laissé aucun repos. Il s'est trouvé que dans un nouveau travail, pour l'heure encore inachevé, je pars de votre incitation, mentionne ce sentiment océanique et tente de l'interpréter dans le sens de notre psychologie [...] Or voici qu'il me vient un doute quant à mon droit d'exploiter de telle façon devant l'opinion publique votre communication privée... »

Le 17 juillet, Romain Rolland lui répond : « Je suis très honoré d'apprendre que la lettre que je vous écrivis à la fin de 1927 vous a incité à de nouvelles recherches, et qu'un nouvel ouvrage répondra aux questions que je vous

---

1. Ilse Grubrich-Simitis, *Zurück zu Freuds Texten*, Frankfurt am Main, S. Fischer Verlag, 1993.
2. Cf. *OCF.P*, XVIII, p. 143.

avais posées. Vous avez entièrement le droit de les porter devant le grand public ; et je ne songe en aucune façon à en esquiver la responsabilité... »

Le 28 juillet (lettre à Lou Andreas-Salomé), Freud a achevé d'écrire *Le Malaise dans la culture,* au moins dans son premier état, mais le manuscrit ne sera envoyé à l'imprimeur qu'au début de novembre. Bien que l'édition porte la date de 1930, le livre dut être disponible dès la fin de l'année 1929, puisque Stefan Zweig fait allusion au « nouveau livre de Freud », qu'il estime être « son meilleur essai philosophique », dans une lettre du 28 décembre 1929 à Romain Rolland[1]. Ce dernier lui répond le 30 décembre : « Vous ne soupçonnez certes pas que c'est à moi que *Le Malaise dans la culture* doit sa naissance. L'ami mentionné dans les deux premières pages, celui qui lui a parlé du "sentiment océanique", c'est moi. »

Le premier chapitre du livre avait été publié à l'avance par la revue *Die psychoanalytische Bewegung* (*1* (4), novembre-décembre 1929). Le cinquième chapitre — sans le premier paragraphe — fut publié dans la même revue (*2* (1), janvier-février 1930), sous le titre « Nächstenliebe und Aggressionstrieb » (Amour du prochain et pulsion d'agression).

Les 12 000 exemplaires du premier tirage ayant été rapidement épuisés, une deuxième édition parut en 1931, avec quelques ajouts signalés ici en note. Cette deuxième édition parvint à Romain Rolland avec comme dédicace : « A son grand ami océanique, l'animal terrestre S. Fr., 18-3-1931. »

1. Cf. Henri Vermorel et Madeleine Vermorel, *Sigmund Freud et Romain Rolland, Correspondance 1923-1936,* Paris, Presses Universitaires de France, 1993. (Traduction par P. Cotet et R. Lainé des lettres de Freud et du premier chapitre de *Malaise dans la culture.*)

# LE MALAISE DANS LA CULTURE

## I

On ne peut se défendre de l'impression que les humains[a] mesu-
rent communément d'après de faux critères, aspirant à avoir pour
eux-mêmes et admirant chez d'autres puissance, succès et richesse,
mais sous-estimant les vraies valeurs de la vie. Et pourtant, avec un
jugement d'un ordre aussi général, on se trouve en danger d'oublier
la bigarrure du monde humain et de sa vie animique. Il est certains
hommes[b] auxquels la vénération de leurs contemporains ne se
refuse pas, bien que leur grandeur repose sur des qualités et des
réalisations qui sont tout à fait étrangères aux buts et aux idéaux de
la foule. On admettra aisément qu'il n'y a toutefois qu'une minorité pour reconnaître ces grands hommes[b], tandis que la grande
majorité n'en veut rien savoir. Mais les choses ne sauraient être
aussi simples, étant donné les discordances entre la pensée et l'action des humains[a] et la polyphonie de leurs motions de souhait.

L'un de ces hommes[b] distingués se déclare dans ses lettres mon
ami. Je lui avais adressé mon petit écrit qui traite la religion comme
une illusion[c] et il répondit qu'il serait entièrement en accord avec
mon jugement sur la religion, mais qu'il regrettait que je n'eusse
pas pris en compte la source véritable de la religiosité. Celle-ci,
dit-il, est un sentiment particulier qui n'a jamais coutume de le
quitter lui-même, qu'il a trouvé confirmé par beaucoup d'autres et
qu'il est en droit de présupposer chez des millions d'humains. Sentiment qu'il appellerait volontiers la sensation de l' « éternité »,
sentiment comme de quelque chose de sans frontière, sans borne,
pour ainsi dire « océanique ». Selon lui, ce sentiment est un fait

a. *Menschen.*
b. *Männer.*
c. *Die Zukunft einer Illusion* (L'avenir d'une illusion). Cf. *OCF.P*, XVIII.

purement subjectif, pas un article de foi ; aucune assurance de survie personnelle ne s'y rattache, mais il est la source de l'énergie religieuse, qui est captée, dirigée dans des canaux déterminés et certainement même absorbée en totalité par les diverses Eglises et systèmes de religion. Sur la seule base de ce sentiment océanique, on est selon lui en droit de se dire religieux, alors même qu'on récuse toute croyance et toute illusion.

Cette déclaration de mon ami vénéré, qui a lui-même un jour rendu un hommage poétique à l'enchantement de l'illusion, ne m'a pas causé de minces difficultés[1]. Pour ma part, je ne puis découvrir en moi ce sentiment « océanique ». Il n'est pas commode de procéder à l'élaboration scientifique des sentiments. On peut tenter de décrire leurs indices physiologiques. Là où cela n'est pas possible — le sentiment océanique lui aussi se soustraira, j'en ai peur, à une telle caractérisation —, il ne reste évidemment rien d'autre à faire qu'à s'en tenir au contenu de représentation qui, associativement, se joint de préférence à ce sentiment. Si j'ai bien compris mon ami, il entend la même chose que ce qu'un poète original et passablement singulier attribue à son héros comme consolation avant une mort qu'il a librement choisie : « Nous ne pouvons tomber hors de ce monde. »[2] Sentiment, donc, d'un lien indissoluble, d'une appartenance à la totalité du monde extérieur. Je dirais volontiers que pour moi cela a plutôt le caractère d'une vue intellectuelle, qui n'est certes pas sans s'accompagner d'une tonalité sentimentale, telle qu'elle ne manquera d'ailleurs pas non plus dans d'autres actes de pensée de semblable portée. Sur ma propre personne je ne pourrais pas me convaincre de la nature primaire d'un tel senti-

423

---

1. Liluli, 1923. [1re éd., Genève, Le Sablier, 1919.] — Depuis la parution des deux livres « La vie de Ramakrishna » et « La vie de Vivekananda » (1930)[a], je n'ai plus besoin de cacher que l'ami à qui il est fait allusion dans le texte est Romain Rolland.

2. D. Chr. Grabbe[b], Hannibal : « Oui, nous ne tomberons jamais hors du monde. Nous sommes dedans une fois pour toutes. » [« *Ja, aus der Welt werden wir nicht fallen. Wir sind einmal darin.* »]

a. *Essai sur la mystique et l'action de l'Inde vivante*, 3 vol. : 1. *La vie de Râmakrisna* ; 2-3. *La vie de Vivekânanda et l'évangile universel*, Paris, Stock, Delamain et Boutelleau, 1929-1930.

b. Christian Dietrich Grabbe (1801-1836), qualifié par Heine de « Shakespeare ivre » *Hannibal*, tragédie de 1835.

ment. Mais je n'ai pas pour autant le droit de contester sa présence effective chez d'autres. La seule question est de savoir s'il est interprété exactement et s'il doit être reconnu comme « *fons et origo*[a] » de tous les besoins religieux.

Je n'ai rien à avancer qui aurait une influence décisive sur la solution de ce problème. L'idée que l'être humain, par un sentiment immédiat, orienté dans cette direction depuis le début, serait censé avoir connaissance qu'il est en corrélation avec le monde environnant, paraît si étrange, s'insère si mal dans la trame de notre psychologie, qu'on peut à bon droit être tenté de proposer une dérivation psychanalytique, c.-à-d. génétique, d'un tel sentiment. Nous disposons alors du cheminement de pensée suivant : normalement, rien n'est pour nous plus assuré que le sentiment de notre soi, de notre moi propre. Ce moi nous apparaît autonome, unitaire, bien démarqué de tout le reste. Que cette apparence soit un leurre, qu'au contraire le moi se continue vers l'intérieur, sans frontière tranchée, dans un être animique inconscient que nous qualifions de ça, auquel il sert en quelque sorte de façade, c'est ce que nous a enseigné, la première, la recherche psychanalytique, qui nous est encore redevable de nombreuses informations sur le rapport du moi au ça. Mais, vers l'extérieur du moins, le moi semble affirmer des lignes de frontière claires et tranchées. Dans un seul état — exceptionnel il est vrai, mais qu'on ne peut condamner comme morbide —, il en va autrement. Au comble de l'état amoureux, la frontière entre moi et objet menace de s'effacer. A l'encontre de tous les témoignages des sens, l'amoureux affirme que moi et toi ne font qu'un, et il est prêt à se comporter comme s'il en était ainsi. Ce qui peut être provisoirement supprimé par une fonction physiologique doit naturellement aussi pouvoir être perturbé par des processus morbides. La pathologie nous apprend à connaître un grand nombre d'états dans lesquels la délimitation du moi d'avec monde extérieur devient incertaine, ou dans lesquels les frontières sont tracées d'une manière vraiment inexacte ; des cas où des parties du corps propre, voire des éléments de la vie d'âme propre, perceptions, pensées, sentiments, apparaissent comme

a. source et origine.

étrangers et n'appartenant pas au moi, d'autres cas où l'on impute
au monde extérieur ce qui manifestement a pris naissance dans le
moi et devrait être reconnu par lui. Ainsi donc le sentiment du moi
est lui-même soumis à des perturbations et les frontières du moi ne
sont pas stables.

Poursuivons la réflexion : ce sentiment du moi de l'adulte ne
peut avoir été tel depuis le début. Il faut qu'il soit passé par un
développement qui, cela se conçoit, ne se laisse pas mettre en évidence, mais se laisse construire avec passablement de vraisem-
blance[1]. Le nourrisson ne fait pas encore le départ entre son moi et
un monde extérieur comme source des sensations affluant sur lui. Il
apprend à le faire peu à peu en vertu d'incitations diverses. Ce qui
lui fait nécessairement la plus forte impression, c'est qu'un certain
nombre de sources d'excitations, dans lesquelles il reconnaîtra ultérieurement ses organes du corps, peuvent à tout moment lui adresser des sensations, alors que d'autres se soustraient à lui par
moments — parmi elles ce qui est le plus désiré : le sein maternel — et ne sont ramenées à lui que par des cris d'appel à l'aide.
Par là s'oppose au moi pour la première fois un « objet » en tant
que quelque chose qui se trouve « au dehors » et qui n'est poussé
dans le champ phénoménal que par une action particulière. Ce qui
donne une nouvelle impulsion au détachement du moi d'avec la
masse des sensations, donc à la reconnaissance d'un « dehors »,
d'un monde extérieur, ce sont les fréquentes, multiples et inévita-
bles sensations de douleur et de déplaisir que le principe de plaisir,
à la domination sans bornes, commande de supprimer et d'éviter.
Une tendance apparaît, celle de mettre à part du moi tout ce qui
peut devenir source d'un tel déplaisir, de le jeter à l'extérieur, de
former un moi-plaisir pur auquel s'oppose un dehors étranger et
menaçant. Les frontières de ce moi-plaisir primitif ne peuvent

---

1. Voir les nombreux travaux sur le développement du moi et le sentiment du moi,
depuis F e r e n c z i, Stades de développement du sens de la réalité effective (1913)[a], jusqu'aux contributions de F e d e r n en 1926, 1927[b] et ultérieurement.

a. Entwicklungsstufen des Wirklichkeitssinnes, *Int. Z. Psychoanal.*, 1913, *I*, 124-138.
b. Einige Variationen des Ichgefühls (Quelques variations du sentiment du moi),
*Int. Z. Psychoanal.*, 1926, *12*, 263-274. Narzißmus im Ichgefüge (Le narcissisme dans la
contexture du moi), *Int. Z. Psychoanal.*, 1927, *13*, 420-438.

échapper à la rectification par l'expérience. Mainte chose qu'on ne voudrait pas abandonner comme étant dispensatrice de plaisir n'est pourtant pas moi, est objet, et maint tourment qu'on veut jeter au dehors se révèle pourtant comme étant inséparable du moi, comme de provenance interne. On fait l'apprentissage d'un procédé consistant, par une orientation intentionnelle de l'activité sensorielle et par une action musculaire appropriée, à pouvoir différencier ce qui est intérieur — ce qui appartient au moi — et ce qui est extérieur — ce qui est issu d'un monde extérieur —, et on fait par là le premier pas vers l'instauration du principe de réalité qui doit dominer le développement ultérieur. Cette différenciation sert naturellement la visée pratique de se défendre des sensations de déplaisir éprouvées et de celles qui menacent. Que le moi, pour se défendre contre certaines excitations de déplaisir provenant de son intérieur, ne mette pas en application d'autres méthodes que celles dont il se sert contre le déplaisir venu de l'extérieur, voilà qui devient ensuite le point de départ de troubles morbides significatifs.

C'est donc de cette manière que le moi se détache du monde extérieur. Plus exactement : à l'origine le moi contient tout, ultérieurement il sépare de lui un monde extérieur. Notre actuel sentiment du moi n'est donc qu'un reste ratatiné d'un sentiment beaucoup plus largement embrassant, et même... embrassant tout, sentiment qui correspondait à un lien plus intime du moi avec le monde environnant. S'il nous est permis de faire l'hypothèse que ce sentiment du moi primaire s'est conservé — dans une plus ou moins grande mesure — dans la vie d'âme de nombreux hommes, il se juxtaposerait, comme une sorte de pendant, au sentiment du moi qui est celui de la maturité, dont les frontières sont plus resserrées et plus tranchées, et les contenus de représentation qui lui conviennent seraient précisément ceux d'une absence de frontières et ceux d'un lien avec le Tout, ceux-mêmes par lesquels mon ami explicite le sentiment « océanique ». Mais avons-nous le droit de faire l'hypothèse d'une survivance de l'originel à côté de l'ultérieur qui est né de lui ?

Sans aucun doute ; une telle éventualité n'est déconcertante ni dans le domaine animique ni dans d'autres. Pour la série animale, nous tenons fermement à l'hypothèse que les espèces les plus évo-

luées proviennent des plus inférieures. Et pourtant nous trouvons
aujourd'hui encore, parmi les vivants, toutes les formes de vie simples. L'ordre des grands sauriens s'est éteint et a fait place aux
mammifères, mais un vrai représentant de cet ordre, le crocodile,
vit encore avec nous. L'analogie est peut-être trop lointaine, elle
souffre en outre du fait que les espèces inférieures survivantes ne
sont pas, pour la plupart, les vrais ancêtres des espèces contempo-
raines plus évoluées. Les chaînons intermédiaires se sont en règle
générale éteints et ne sont connus que par reconstruction. Dans le
domaine animique, en revanche, la conservation du primitif à côté
de ce qui en provient par transformation est si fréquente qu'il est
superflu de prouver cela par des exemples ; le plus souvent, cette
occurrence est la conséquence d'un clivage du développement. Une
part, au sens quantitatif, d'une position, d'une motion pulsionnelle,
a été conservée sans modification, une autre a connu la suite du
développement.

Nous touchons ici au problème plus général de la conservation
dans le psychique, qui n'a encore guère trouvé d'élaboration, mais
qui est si stimulant et significatif que nous sommes en droit de lui
accorder un instant d'attention, même si l'occasion ne s'y prête
guère. Depuis que nous avons surmonté l'erreur selon laquelle l'ou-
bli, qui nous est familier, signifie une destruction de la trace mémo-
rielle, donc un anéantissement, nous penchons vers l'hypothèse
opposée, à savoir que dans la vie d'âme rien de ce qui fut une fois
formé ne peut disparaître, que tout se trouve conservé d'une façon
ou d'une autre et peut, dans des circonstances appropriées, par ex.
par une régression allant suffisamment loin, être ramené au jour.
Essayons de comprendre clairement, grâce à une comparaison
empruntée à un autre domaine, quel est le contenu de cette hypothèse. Pourquoi ne pas prendre pour exemple le développement de
la Ville éternelle[1] ? Les historiens nous enseignent que la Rome la
plus ancienne était la Roma quadrata, colonie sur le Palatin entou-
rée d'une palissade. Lui succéda la phase du Septimontium, réunion des établissements situés sur les diverses collines, ensuite la

---

1. D'après The Cambridge Ancient History, t. VII, 1928. « The Founding of
Rome », by Hugh Last. [Cambridge, University Press, p. 333-369.]

ville qui eut comme frontière la muraille de Servius[a] et plus tard     427
encore, après toutes les mutations de la période républicaine et des
débuts de la période impériale, la ville enfermée dans les murailles
de l'empereur Aurélien[b]. Nous n'allons pas suivre plus avant les
transformations de la ville et nous nous demanderons ce qu'un visi-
teur, que nous imaginons doté des connaissances historiques et
topographiques les plus parfaites, peut bien encore, dans la Rome
d'aujourd'hui, trouver de ces stades reculés. La muraille d'Aurélien, il la verra, à part quelques brèches, presque inchangée. En tel
ou tel endroit, il peut trouver des tronçons des fortifications de Servius mis au jour par des fouilles. S'il en sait suffisamment — davantage que l'archéologie actuelle —, il pourra peut-être inscrire dans
le plan de la ville tout le tracé de cette muraille et les contours de
la Roma quadrata. Des édifices qui ont jadis rempli ces cadres
anciens, il ne retrouve rien, ou de maigres restes, car ils n'existent
plus. Ce que peut au mieux lui permettre la plus parfaite connaissance de la Rome de la République serait de savoir indiquer les
emplacements où s'étaient dressés les temples et édifices publics de
cette époque. Ce qui maintenant occupe ces emplacements, ce sont
des ruines, et non pas les ruines d'eux-mêmes, mais celles de réno-
vations faites à des époques ultérieures, après incendies et destructions. Il est encore à peine besoin de mentionner particulièrement
que tous ces vestiges de la Rome antique apparaissent comme dis-
séminés dans l'enchevêtrement d'une grande ville datant des derniers siècles, depuis la Renaissance. Mainte chose ancienne est sûrement encore enfouie dans le sol de la ville ou sous ses bâtiments
modernes. Voilà le mode de conservation de ce qui est passé, que
nous rencontrons dans des lieux historiques comme Rome.

Faisons maintenant l'hypothèse fantastique que Rome n'est pas
un lieu d'habitations humaines, mais un être psychique, qui a un
passé pareillement long et riche en substance et dans lequel donc
rien de ce qui s'est une fois produit n'a disparu, dans lequel, à côté
de la dernière phase de développement, subsistent encore également
toutes les phases antérieures. Cela signifierait donc pour

a. Servius Tullius, 6ᵉ roi de Rome (vers 578 - vers 534 avant J.-C.).
b. Aurélien : vers 212-275 après J.-C.

Rome que sur le Palatin les palais impériaux et le Septizonium de
Septime Sévère[a] s'élèvent encore à leur hauteur ancienne, que le
château Saint-Ange porte encore sur ses créneaux les belles statues
dont il était orné jusqu'au siège des Goths, etc. Mais davantage
encore : à l'emplacement du Palazzo Caffarelli se dresserait de nouveau, sans qu'on ait besoin de raser cet édifice, le temple de Jupiter
Capitolin et celui-ci d'ailleurs, pas seulement sous sa figure dernière, comme le voyaient les Romains de la période impériale, mais
aussi sous sa toute première figure, alors qu'il offrait encore des
formes étrusques et était paré d'antéfixes en terre cuite. Là où
maintenant se dresse le Colisée, nous pourrions admirer aussi la
Domus aurea de Néron[b], qui a disparu ; sur la place du Panthéon
nous ne trouverions pas seulement le Panthéon actuel, tel qu'il nous
fut légué par Hadrien[c], mais aussi sur le même terrain la construction originelle de M. Agrippa[d] ; bien plus, le même sol porterait
l'église Maria sopra Minerva et l'ancien temple par-dessus lequel
elle est construite. Et alors, il suffirait peut-être à l'observateur de
changer la direction de son regard ou la place qu'il occupe pour
faire surgir l'une ou l'autre de ces vues.

Il n'y a manifestement aucun sens à continuer de dérouler le fil
de cette fantaisie, elle conduit à de l'irreprésentable, voire à de l'ab-
surde. Si nous voulons présenter spatialement la succession historique, cela ne peut se produire que par une juxtaposition dans l'espace ; un seul et même espace ne supporte pas d'être rempli de
deux façons. Notre tentative semble être un jeu futile ; elle n'a
qu'une justification ; elle nous montre à quel point nous sommes
loin de maîtriser par une présentation visuelle les particularités de
la vie animique.

Il est une objection sur laquelle nous devrions encore prendre
position. Elle nous demande pourquoi nous avons justement choisi
le passé d'une ville pour le comparer au passé animique. L'hypothèse de la conservation de tout ce qui est passé ne vaut, pour la vie
d'âme aussi, qu'à la condition que l'organe de la psyché soit

a.  146-211 après J.-C.
b.  37-68 après J.-C.
c.  76-138 après J.-C.
d.  Marcus Vipsanius Agrippa, vers 63-12 avant J.-C.

demeuré intact, que son tissu n'ait souffert ni de trauma ni d'inflammation. Des effets destructeurs qu'on pourrait assimiler à ces causes de maladie ne sont d'ailleurs absents de l'histoire d'aucune ville, même si elle a un passé moins agité que Rome, même si, comme Londres, elle n'a pratiquement jamais été visitée par un ennemi. Le développement le plus paisible d'une ville inclut démolitions et remplacements de bâtiments et c'est pourquoi la ville est a priori impropre à une telle comparaison avec un organisme animique. <sup>429</sup>

Nous cédons à cette objection et, renonçant à un effet de contraste impressionnant, nous nous tournons vers un objet de comparaison tout de même plus apparenté, tel que le corps animal ou le corps humain. Mais ici aussi nous trouvons la même chose. Les phases antérieures du développement ne sont en aucun sens davantage conservées, elles se sont résorbées dans les phases ultérieures pour lesquelles elles ont fourni le matériau. L'embryon ne se laisse pas mettre en évidence dans l'adulte, le thymus que possédait l'enfant est remplacé après la puberté par du tissu conjonctif, mais lui-même n'est plus présent ; dans les os longs de l'homme mûr je puis certes inscrire les contours de l'os de l'enfant, mais cet os a lui-même passé, s'étirant et s'épaississant jusqu'à recevoir sa forme définitive. Il demeure qu'une telle conservation de tous les stades préliminaires, à côté de la configuration finale, n'est possible que dans l'animique, et que nous ne sommes pas en mesure de visualiser cette éventualité.

Peut-être allons-nous trop loin en faisant cette hypothèse. Peut-être devrions-nous nous contenter d'affirmer que dans la vie d'âme ce qui est passé p e u t être conservé et ne doit pas être n é c e s s a i r e-m e n t détruit. Il est tout de même possible que, dans le psychique aussi, mainte chose ancienne — dans la norme ou par exception — soit à ce point effacée ou absorbée qu'aucun processus ne puisse plus la réinstaurer ou la réanimer, il est possible aussi que la conservation reste d'une façon générale rattachée à certaines conditions favorables. Cela est possible, mais nous n'en savons rien. La seule <sup>430</sup> chose à laquelle nous pouvons tenir fermement, c'est que dans la vie d'âme la conservation de ce qui est passé est la règle plutôt qu'une déconcertante exception.

Si nous sommes ainsi parfaitement prêts à reconnaître qu'il y a chez de nombreux hommes un sentiment « océanique », et enclins à le faire remonter à une phase précoce du sentiment du moi, surgit cette question nouvelle : De quel droit ce sentiment prétend-il être considéré comme la source des besoins religieux ?

Cette revendication ne m'apparaît pas contraignante. Après tout, un sentiment ne peut être une source d'énergie que s'il est lui-même l'expression d'un fort besoin. Pour ce qui est des besoins religieux, la dérivation à partir du désaide infantile et de la désirance qu'il éveille pour le père ne semble pas pouvoir être écartée, d'autant plus que ce sentiment n'est pas une simple prolongation de la vie enfantine, mais est conservé durablement du fait de l'angoisse devant la surpuissance du destin. Un besoin provenant de l'enfance, aussi fort que celui de la protection paternelle, je ne saurais en indiquer. Par là, le rôle du sentiment océanique, qui pourrait en quelque sorte aspirer à la réinstauration du narcissisme illimité, est écarté du premier plan. C'est jusqu'au sentiment de désaide enfantin que l'on peut suivre d'un trait sûr l'origine de la position religieuse. D'autres choses encore peuvent bien se cacher là derrière, mais le brouillard les voile provisoirement.

Je puis me représenter que le sentiment océanique s'est trouvé après coup mis en relation avec la religion. Etre-un avec le Tout, contenu de pensée inhérent à ce sentiment, nous sollicite en effet comme une première tentative de consolation religieuse, comme une autre voie pour dénier le danger dont le moi reconnaît la menace venant du monde extérieur. J'avoue une fois encore une grande gêne à travailler sur ces grandeurs à peine saisissables. Un autre de mes amis[a], qu'une insatiable soif de savoir[b] a poussé aux expérimentations les plus inhabituelles et a rendu finalement omniscient, m'a assuré que si l'on pratique le yoga, on peut, en se détournant du monde extérieur, en liant son attention à des fonctions corporelles, en respirant selon des modes particuliers, éveiller en soi des sensations effectivement nouvelles et des sentiments

---

a. « Il s'agit vraisemblablement de Frederick Eckstein (surnommé le "philosophe de la Ringstrasse"), qui fut un temps moine bouddhiste » (Henri Vermorel et Madeleine Vermorel, *Sigmund Freud et Romain Rolland, Correspondance 1923-1936*, Paris, PUF, 1993, p. 340).

b. *Wissensdrang*.

d'universalité, qu'il veut concevoir comme des régressions à des états immémoriaux et depuis longtemps recouverts, de la vie d'âme. Il voit en eux un fondement pour ainsi dire physiologique de nombreuses sagesses relevant de la mystique. Il ne serait pas difficile d'établir ici des relations avec maintes obscures modifications de la vie d'âme, comme la transe et l'extase. Mais je me sens quant à moi poussé à reprendre à mon compte les paroles du Plongeur de Schiller pour m'écrier :

> « Qu'il se réjouisse, celui qui respire en haut
> dans la lumière rose ! »[a]

## II

*donheur, malheur et remèdes aux malheurs*

Dans mon écrit « L'avenir d'une illusion », il s'agissait bien moins des sources les plus profondes du sentiment religieux que de ce que l'homme du commun entend par sa religion, ce système de doctrines et de promesses qui d'un côté éclaircit pour lui les énigmes de ce monde avec une complétude digne d'envie, de l'autre lui assure qu'une Providence attentionnée veillera sur sa vie et réparera dans une existence de l'au-delà d'éventuels refusements. Cette Providence, l'homme du commun ne peut se la représenter autrement que dans la personne d'un père exalté jusqu'au grandiose. Seul un tel père peut connaître les besoins de l'enfant des

a.   « *Es freue sich,*
*Wer da atmet im rosigen Licht !*
*Da unten aber ist's fürchterlich,*
*Und der Mensch versuche die Götter nicht,*
*Und begehre nimmer und nimmer zu schauen,*
*Was sie gnädig bedecken mit Nacht und Grauen.* »

« Qu'il se réjouisse,
Celui qui respire en haut dans la lumière rose !
Car en-dessous, c'est l'épouvante,
Et l'homme ne doit pas tenter les dieux
Ni jamais, au grand jamais, désirer voir
Ce qu'ils daignent couvrir de nuit et de terreur. »

Schiller, *Der Taucher* (Le plongeur), ballade de 1797, v. 91-96.

hommes, être attendri par ses demandes, apaisé par les signes de son repentir. Tout cela est si manifestement infantile, si étranger à la réalité effective, que si l'on est porté à aimer les hommes il est douloureux de penser que la grande majorité des mortels ne s'élèvera jamais au-dessus de cette conception de la vie. On éprouve encore plus de honte à apprendre combien sont nombreux parmi nos contemporains ceux qui, forcés de reconnaître que cette religion ne peut être maintenue, cherchent cependant à la défendre pied à pied dans de pitoyables combats d'arrière-garde. On voudrait se mêler aux rangs des croyants pour adresser aux philosophes, qui croient sauver le Dieu de la religion en le remplaçant par un principe impersonnel abstrait jusqu'à être fantomatique, cette exhortation : Tu n'invoqueras pas en vain le nom du Seigneur! Si quelques-uns des plus grands esprits des temps passés ont fait de même, on n'a pas le droit ici de se réclamer d'eux. On sait pourquoi ils y étaient forcés.

Revenons à l'homme du commun et à sa religion, la seule qui devrait porter ce nom. Se présente à nous d'abord le propos bien connu d'un de nos grands parmi les poètes et les sages, concernant le rapport de la religion à l'art et à la science. Le voici :

> « Qui possède science et art
> a aussi de la religion ;
> Qui ne possède ni l'un ni l'autre,
> qu'il ait de la religion! »[1a]

D'une part cette maxime met la religion en opposition avec les deux plus hautes performances de l'être humain, d'autre part elle affirme qu'elles peuvent se représenter ou se remplacer mutuellement pour ce qui est de leur valeur dans la vie. Si donc nous prétendons contester à l'homme du commun sa religion, nous n'avons manifestement pas l'autorité du poète de notre côté. C'est par une voie particulière que nous tenterons d'avancer dans l'appréciation

---

1. Goethe, dans les « Xénies apprivoisées », IX (Poésies posthumes).

a.    « *Wer Wissenschaft und Kunst besitzt,*
   *hat auch Religion ;*
   *Wer jene beiden nicht besitzt,*
   *der habe Religion !* »

de sa thèse. La vie telle qu'elle nous est imposée est trop dure pour nous, elle nous apporte trop de douleurs, de déceptions, de tâches insolubles. Pour la supporter, nous ne pouvons pas nous passer de remèdes sédatifs. (Cela ne va pas sans constructions adjuvantes[a], nous a dit Theodor Fontane[b]). Ces remèdes, il en est peut-être de trois sortes : de puissantes diversions qui nous permettent de faire peu de cas de notre misère, des satisfactions substitutives qui la diminuent, des stupéfiants qui nous y rendent insensibles. Quelque chose de cette espèce, quoi que ce soit, est indispensable[1]. Ce sont ces diversions que vise Voltaire quand il donne comme accord final à son « Candide » le conseil de cultiver son jardin ; l'activité scientifique, elle aussi, est une telle diversion. Les satisfactions substitutives, comme celles offertes par l'art, sont, en regard de la réalité, des illusions, elles n'en sont pas pour autant moins efficientes psychiquement, grâce au rôle que la fantaisie a assumé dans la vie d'âme. Les stupéfiants influencent notre être corporel, en changeant son chimisme. Il n'est pas simple d'indiquer la place de la religion à l'intérieur de cette série. Il nous faudra remonter plus loin.

433

La question de la finalité de la vie humaine a été posée un nombre incalculable de fois ; elle n'a encore jamais trouvé de réponse satisfaisante, peut-être d'ailleurs n'en admet-elle aucune. Bien des poseurs de questions ont ajouté : S'il devait se faire que la vie n'ait aucune finalité, elle perdrait pour eux toute valeur. Mais cette menace ne change rien. Il semble bien plutôt qu'on ait le droit de récuser la question. Elle semble présupposer cette pré-

---

1. A un niveau plus bas, Wilhelm Busch [1832-1908] dit la même chose dans la « Pieuse Hélène » [1872] : « Qui a des soucis a aussi de la liqueur. »[c]

a. *Hilfskonstruktionen.*

b. « *Einer, dem auch viel verquer gegangen war, sagte mir mal [...] : "Es geht überhaupt nicht ohne 'Hülfskonstruktionen'." Der das sagte, war ein Baumeister und mußt'es also wissen. Und er hatte recht mit seinem Satz. Es vergeht kein Tag, der mich nicht an die 'Hülfskonstruktionen' gemahnte.* »

« Quelqu'un qui avait aussi connu bien des traverses me dit un jour [...] : « Ça ne va absolument pas sans "constructions adjuvantes". » Celui qui disait cela était architecte et devait donc bien s'y connaître. Et il était dans le vrai avec sa phrase. Il ne se passe pas de jour qui ne m'ait fait songer aux "constructions adjuvantes" » (Theodor Fontane (1819-1898), *Effi Briest*, roman de 1895, fin du chapitre XXXV).

c. « *Wer Sorgen hat, hat auch Likör.* »

somption humaine dont nous connaissons déjà tant d'autres manifestations. D'une finalité de la vie des animaux on ne parle pas, sauf
à dire que leur destination est de servir l'homme. Mais cela d'ailleurs n'est pas soutenable, car il y a beaucoup d'animaux dont
l'homme ne sait que faire — sinon les décrire, les classifier, les étudier —, et d'innombrables espèces d'animaux se sont d'ailleurs
soustraites à cette utilisation, du fait qu'elles vécurent et s'éteigni-
rent avant que l'homme ne les ait vues. La religion est de nouveau
seule à savoir répondre à la question d'une finalité de la vie. On ne
se trompera guère en décidant que l'idée d'une finalité de la vie se
maintient et s'effondre en même temps que le système religieux.

Nous nous tournons de ce fait vers la question moins exigeante
de savoir ce que les hommes eux-mêmes permettent, par leur comportement, de reconnaître comme finalité et dessein de leur vie, ce
qu'ils exigent de la vie, ce qu'ils veulent atteindre en elle. Il n'est
guère possible de se tromper dans la réponse ; ils aspirent au bonheur, ils veulent devenir heureux et le rester. Cette aspiration a
deux faces, un but positif et un but négatif, elle veut d'une part que
soient absents la douleur et le déplaisir, d'autre part que soient
vécus de forts sentiments de plaisir. Au sens le plus étroit du mot,
« bonheur » ne se rapporte qu'au dernier point. Conformément à
cette bipartition des buts, l'activité des hommes se déploie dans
deux directions, selon qu'elle cherche à réaliser l'un ou l'autre de
ces buts — de façon prépondérante ou même exclusive.

On notera que c'est simplement le programme du principe de
plaisir qui pose la finalité de la vie. Ce principe domine le fonction-
nement de l'appareil animique dès le début ; de sa fonction au service d'une finalité, on ne saurait douter, et pourtant son programme est en désaccord avec le monde entier, avec le macrocosme
tout aussi bien qu'avec le microcosme. De toute façon, il n'est pas
réalisable, tous les dispositifs du Tout s'opposent à lui ; on aimerait
dire que le dessein que l'homme soit « heureux » n'est pas contenu
dans le plan de la « création ». Ce qu'on appelle bonheur au sens
le plus strict découle de la satisfaction plutôt subite de besoins fortement mis en stase et, d'après sa nature, n'est possible que comme
phénomène épisodique. Toute persistance d'une situation désirée
par le principe de plaisir ne donne qu'un sentiment d'aise assez

tiède ; nos dispositifs sont tels que nous ne pouvons jouir intensément que de ce qui est contraste, et ne pouvons jouir que très peu de ce qui est état[1]. Ainsi donc nos possibilités de bonheur sont limitées déjà par notre constitution. Il y a beaucoup moins de difficultés à faire l'expérience du malheur. La souffrance menace de trois côtés, en provenance du corps propre qui, voué à la déchéance et à la dissolution, ne peut même pas se passer de la douleur et de l'angoisse comme signaux d'alarme, en provenance du monde extérieur qui peut faire rage contre nous avec des forces surpuissantes, inexorables et destructrices, et finalement à partir des relations avec d'autres hommes. La souffrance issue de cette source, nous la ressentons peut-être plus douloureusement que toute autre ; nous sommes enclins à voir en elle un ingrédient en quelque sorte superflu, même si, en termes de destin, elle n'est peut-être bien pas moins inéluctable que la souffrance d'une autre provenance.

435

Rien d'étonnant à ce que, sous la pression de ces possibilités de souffrance, les hommes n'aient cessé de modérer leur prétention au bonheur — tout comme le principe de plaisir lui-même, sous l'influence du monde extérieur, s'est bel et bien remodelé en ce principe plus modeste qu'est le principe de réalité —, à ce qu'on s'estime déjà heureux de s'être sauvé du malheur, d'avoir échappé à la souffrance, à ce que, de façon tout à fait générale, la tâche de l'évitement de la souffrance repousse à l'arrière-plan celle du gain de plaisir. La réflexion enseigne que l'on peut tenter de résoudre cette tâche par des voies très diverses ; toutes ces voies ont été recommandées par les différentes écoles de sagesse[b] et empruntées par les hommes. Une satisfaction sans restriction de tous les besoins s'impose comme la façon la plus tentante de conduire sa vie, mais cela

---

1. Goethe va jusqu'à nous avertir : « Rien n'est plus difficile à supporter qu'une série de beaux jours. »[a] Cela pourrait être malgré tout une exagération.

a. *« Alles in der Welt lässt sich ertragen*
*Nur nicht eine Reihe von schönen Tagen. »*

« Tout dans le monde se laisse supporter,
Sauf une série de beaux jours. »

Goethe, *Sprüche* (Sentences), v. 84-85. Cette idée est déjà exprimée par Luther en termes analogues dans ses *Propos de table* et sa « Consolation aux chrétiens d'Augsbourg » de 1523.

b. *Lebensweisheit.*

signifie mettre la jouissance avant la prudence et cela trouve sa
punition après une brève pratique. Les autres méthodes, dont la
visée prédominante est l'évitement de déplaisir, se distinguent selon
la source de déplaisir vers laquelle chacune d'elles tourne davantage son attention. De ces procédés-là, il en est d'extrêmes et de
modérés, il en est d'unilatéraux et d'autres qui s'attaquent à plusieurs points à la fois. S'isoler volontairement, se tenir à distance des
autres, c'est là la protection la plus immédiate contre la souffrance
susceptible de résulter pour quelqu'un des relations humaines. On
comprend : le bonheur que l'on peut atteindre par cette voie est
celui du repos. Contre le monde extérieur redouté, on ne peut se
défendre autrement qu'en s'en détournant d'une façon ou d'une
autre, si l'on veut à soi seul résoudre cette tâche. Il y a certes une
autre et meilleure voie : en tant que membre de la communauté
humaine, on passe à l'attaque de la nature avec l'aide de la technique guidée par la science et on soumet cette nature à la volonté
humaine. On travaille alors avec tous au bonheur de tous. Mais les
méthodes les plus intéressantes pour la prévention de la souffrance
sont celles qui tentent d'influencer l'organisme propre. Finalement,
toute souffrance n'est que sensation, elle n'existe que dans la
mesure où nous l'éprouvons et nous ne l'éprouvons que du fait de
certains dispositifs de notre organisme.

La méthode la plus grossière mais aussi la plus efficace pour
exercer une telle influence est la méthode chimique, l'intoxication.
Je ne crois pas que qui que ce soit en perce à jour le mécanisme,
mais c'est un fait qu'il y a des substances étrangères au corps, dont
la présence dans le sang et dans les tissus nous procure des sensations de plaisir immédiates, mais qui modifient aussi les conditions
de notre vie de sensation de telle sorte que nous devenons inaptes à
la réception des motions de déplaisir. Non seulement ces deux effets
se produisent simultanément, mais ils semblent également en
intime connexion l'un avec l'autre. Il faut d'ailleurs qu'il y ait aussi
dans notre propre chimisme des substances qui ont une action analogue, car nous connaissons au moins un état morbide, la manie,
dans lequel survient ce comportement analogue à celui né des stupéfiants, sans qu'un stupéfiant ait été introduit. En outre, notre vie
d'âme normale montre des fluctuations de la déliaison de plaisir

rendue plus facile ou plus difficile, parallèlement à quoi la réceptivité au déplaisir se voit diminuée ou augmentée. Il est très regrettable que ce côté toxique des processus animiques se soit jusqu'à présent soustrait à la recherche scientifique. L'action des stupéfiants dans le combat pour le bonheur et le maintien à distance de la misère est à ce point appréciée comme un bienfait que les individus, comme les peuples, leur ont accordé une solide position dans leur économie libidinale. On ne leur sait pas gré seulement du gain de plaisir immédiat, mais aussi d'un élément d'indépendance ardemment désiré par rapport au monde extérieur. Ne sait-on pas qu'avec l'aide du « briseur de soucis »[a] on peut se soustraire à chaque instant à la pression de la réalité et trouver refuge dans un monde à soi offrant des conditions de sensation meilleures ? Il est connu que c'est précisément cette propriété des stupéfiants qui conditionne aussi leur danger et leur nocivité. Ils portent le cas échéant la responsabilité de ce que de grands montants d'énergie qui pourraient être utilisés pour l'amélioration du sort des hommes se trouvent perdus sans profit.

Mais la construction compliquée de notre appareil animique permet encore que s'exerce toute une série d'autres influences. De même que la satisfaction pulsionnelle est bonheur, de même une cause de graves souffrances apparaît quand le monde extérieur nous laisse dans l'indigence, nous refusant l'assouvissement de nos besoins. On peut donc espérer, en agissant sur ces motions pulsionnelles, être libéré d'une partie de la souffrance. Ce mode de défense contre la souffrance ne s'attaque plus à l'appareil sensitif, il cherche à se rendre maître des sources internes des besoins. A l'extrême, cela advient dès lors qu'on met à mort les pulsions, comme l'enseigne la sagesse de vie orientale et comme le réalise la pratique du yoga. Y réussit-on, on a certes aussi abandonné par là toute autre activité (sacrifié la vie), on a seulement acquis de nouveau, par une

***

a. *Sorgenbrecher.* Cf. Goethe, Livre de l'échanson du *West-östlicher Diwan* (Divan occidental-oriental) :

> « *Für Sorgen sorgt das liebe Leben,*
> *Und Sorgenbrecher sind die Reben.* »
> Cette chère vie se soucie de donner des soucis,
> Le briseur de soucis c'est le fruit de la vigne. »

autre voie, le bonheur du repos. C'est cette même voie que l'on suit, avec des buts plus modérés, si l'on aspire seulement à la domination de la vie pulsionnelle. Ce qui domine, ce sont alors les instances psychiques supérieures qui se sont soumises au principe de réalité. Ce faisant, la visée de la satisfaction n'est aucunement abandonnée ; une certaine protection contre la souffrance est atteinte du fait que l'insatisfaction des pulsions tenues en dépendance n'est pas ressenti aussi douloureusement que l'est celle des pulsions non inhibées. Mais en revanche il y a là de toute évidence un abaissement indéniable des possibilités de jouissance. Le sentiment de bonheur lors de la satisfaction d'une motion pulsionnelle sauvage, non domptée par le moi, est incomparablement plus intense que lors de l'assouvissement d'une pulsion domestiquée. L'irrésistibilité des impulsions perverses, peut-être, d'une façon générale, l'attrait de ce qui est interdit, trouve ici une explication économique.

Une autre technique de défense contre la souffrance se sert des déplacements de libido qu'autorise notre appareil animique, et par lesquels sa fonction gagne tellement en flexibilité. La tâche qu'il faut résoudre est de situer ailleurs les buts pulsionnels, de telle sorte qu'ils ne puissent être atteints par le refusement du monde extérieur. La sublimation des pulsions prête ici son aide. On obtient le maximum si l'on s'entend à élever suffisamment le gain de plaisir provenant des sources du travail psychique et intellectuel. Le destin a alors peu de prise sur nous. Les satisfactions de cette sorte, telles que la joie de l'artiste à créer, à donner corps aux formations de sa fantaisie, celles du chercheur à résoudre des problèmes et à reconnaître la vérité, ont une qualité particulière, qu'un jour nous pourrons certainement caractériser métapsychologiquement. Pour l'heure, nous pouvons seulement dire de manière imagée qu'elles nous apparaissent « plus délicates et plus élevées », mais leur intensité est amortie, comparée à celle provenant de l'assouvissement de motions pulsionnelles grossières et primaires ; elles n'ébranlent pas notre corporéité. Mais la faiblesse de cette méthode réside en ceci qu'elle n'est pas d'une utilisation générale, qu'elle n'est accessible qu'à peu d'hommes. Elle suppose des prédispositions et des dons particuliers qui ne sont pas précisément fréquents en proportion efficace. Et même à ce petit nombre elle ne peut pas accorder une parfaite protection contre la souffrance, elle ne leur procure pas de cuirasse impénétrable aux flèches du destin et elle fait d'ordinaire défaillance lorsque le corps propre devient la source de la souffrance[1].

Si, dans ce procédé, apparaît déjà nettement la visée de se rendre indépendant du monde extérieur en cherchant ses satisfactions dans des processus psychiques internes, les mêmes traits ressortent plus fortement encore dans le procédé suivant. La corrélation avec la réalité se relâche ici davantage encore, la satisfaction est obtenue à partir d'illusions, que l'on reconnaît comme telles, sans se laisser troubler dans leur jouissance par le fait qu'elles s'écartent de la réalité effective. Le domaine d'où sont issues ces illusions est celui de la vie de fantaisie ; il fut en son temps, lorsque s'effectua le développement du sens de la réalité, expressément soustrait aux exigences de l'examen de réalité et resta destiné à l'accomplissement de souhaits difficiles à imposer. En tête de ces satisfactions en fantaisie, il y a la jouissance puisée dans les œuvres de l'art, qui par l'entremise de l'artiste est rendue accessible aussi à celui qui n'est pas lui-même un créateur[2]. Celui qui est réceptif à

439

---

1. En l'absence de prédisposition particulière prescrivant impérativement leur direction aux intérêts vitaux, le travail professionnel ordinaire, accessible à chacun, peut prendre la place qui lui est assignée par le sage conseil de Voltaire. Il n'est pas possible d'apprécier de façon suffisante, dans le cadre d'une vue d'ensemble succincte, la significativité du travail pour l'économie de la libido. Aucune autre technique pour conduire sa vie ne lie aussi solidement l'individu à la réalité que l'accent mis sur le travail, qui l'insère sûrement au tout au moins dans un morceau de la réalité, la communauté humaine. La possibilité de déplacer une forte proportion de composantes libidinales, composantes narcissiques, agressives et même érotiques, sur le travail professionnel et sur les relations humaines qui s'y rattachent, confère à celui-ci une valeur qui ne le cède en rien à son indispensabilité pour chacun aux fins d'affirmer et justifier son existence dans la société. L'activité professionnelle procure une satisfaction particulière quand elle est librement choisie, donc qu'elle permet de rendre utilisables par sublimation des penchants existants, des motions pulsionnelles poursuivies ou constitutionnellement renforcées. Et cependant le travail, en tant que voie vers le bonheur, est peu apprécié par les hommes. On ne s'y presse pas comme vers d'autres possibilités de satisfaction. La grande majorité des hommes ne travaille que poussée par la nécessité, et de cette naturelle aversion pour le travail qu'ont les hommes découlent les problèmes sociaux les plus ardus.

2. Cf. « Formulations sur les deux principes de l'advenir psychique » [*Formulierungen über die zwei Prinzipien des psychischen Geschehens, GW*, VIII ; *OCF.P*, XI], 1911, et « Leçons d'introduction à la psychanalyse » [*Vorlesungen zur Einführung in die Psychoanalyse, GW*, XI ; *OCF.P*, XIV], XXIII.

l'influence de l'art ne saurait la tenir en assez haute estime comme source de plaisir et comme consolation dans la vie. Et pourtant la douce narcose dans laquelle nous plonge l'art ne fait pas plus que soustraire fugitivement aux nécessités de la vie et n'est pas suffisamment forte pour faire oublier une misère réelle.

Il y a plus d'énergie et de radicalité dans un autre procédé, qui voit dans la réalité le seul ennemi, cette réalité qui est la source de toute souffrance, avec laquelle il n'est pas possible de vivre, avec laquelle il faut donc rompre toute relation si l'on veut, en un sens ou en un autre, être heureux. L'ermite tourne le dos à ce monde, il ne veut plus rien avoir à faire avec lui. Mais on peut aller plus loin, on peut vouloir le refaire, à sa place en édifier un autre, dans lequel les traits les plus insupportables se trouvent extirpés et remplacés par d'autres dans le sens des souhaits propres. Celui qui, dans une indignation désespérée, s'engage sur cette voie vers le bonheur n'obtiendra en règle générale rien ; la réalité effective est trop forte pour lui. Il devient un délirant qui la plupart du temps ne trouve personne pour l'aider à imposer son délire. Mais on affirmera que chacun de nous se conduit, sur un point ou sur un autre, de façon analogue au paranoïaque, corrige par une formation de souhait un aspect du monde qu'il ne peut pas souffrir, et inscrit ce délire dans la réalité. Un cas peut revendiquer une significativité particulière, celui où un assez grand nombre d'hommes s'engagent en commun dans la tentative de se créer une assurance sur le bonheur et une protection contre la souffrance par un remodelage délirant de la réalité effective. C'est comme un tel délire de masse que nous devons aussi caractériser les religions de l'humanité. Le délire, celui qui le partage encore lui-même ne le reconnaît naturellement jamais.

Je ne crois pas que cette énumération des méthodes par lesquelles les hommes s'efforcent d'obtenir le bonheur et de tenir la souffrance à distance soit complète, je sais aussi que le sujet autorise d'autres ordonnancements. Il y a un procédé que je n'ai pas encore cité : non que je l'aie oublié, mais parce qu'il nous occupera dans un autre contexte encore. Comment serait-il d'ailleurs possible d'oublier justement cette technique de l'art de vivre ? Elle se distingue par la plus remarquable réunion de traits caractéristiques. Elle tend naturellement aussi à l'indépendance par rapport au destin — c'est le meilleur nom qu'on puisse lui donner — et, dans cette visée, reporte la satisfaction dans des processus animiques internes, se servant ici de la capacité de déplacement, ci-dessus mentionnée[a], de la libido, mais elle ne se détourne pas du monde extérieur, se cramponnant au contraire aux objets de celui-ci et obtenant le bonheur à partir d'une relation de sentiment avec eux. Elle ne se contente alors pas non plus de l'évitement de déplaisir, un but auquel on se résigne comme par lassitude, elle passe outre bien plutôt sans lui porter attention et tient ferme à l'aspiration originelle et passionnée à l'accomplissement de bonheur positif. Peut-être se rapproche-t-elle effectivement davantage de ce but que toute autre méthode. Je veux dire, naturellement, cette orientation de la vie qui prend pour centre l'amour, attendant toute satisfaction du fait d'aimer et d'être aimé. Nous sommes tous suffisamment portés à une telle position psychique ; une des formes de manifestation de l'amour, l'amour sexué, nous a procuré la plus forte des expériences, celle d'une sensation de plaisir qui terrasse, et nous a fourni ainsi le modèle de notre aspiration au bonheur. Qu'y a-t-il de plus naturel que de persévérer à chercher le bonheur sur la voie même où nous l'avons rencontré pour la première fois ? Le côté faible de cette technique de vie apparaît clairement ; sinon il ne serait bien sûr venu à l'idée d'aucun homme de quitter pour une autre cette voie vers le bonheur. Jamais nous ne sommes davantage privés de protection contre la souffrance que lorsque nous aimons, jamais nous ne sommes davantage dans le malheur et le désaide que lorsque nous avons perdu l'objet aimé ou son amour. Mais la technique de vie fondée sur la valeur-bonheur de l'amour ne se trouve pas pour autant liquidée, il y a beaucoup plus à dire à ce sujet[b].

On peut rattacher ici le cas intéressant dans lequel on recherche principalement le bonheur de vivre dans la jouissance de la beauté, où qu'elle se montre à nos sens et à notre jugement, beauté des formes et des gestes humains, des objets de la nature et des pay-

441

a. Cf. *supra*, p. 22.
b. Cf. *infra*, p. 43-44.

sages, des créations artistiques et même scientifiques. Cette position esthétique envers le but de la vie offre peu de protection contre les souffrances menaçantes, mais elle est en mesure de dédommager de bien des choses. La jouissance puisée dans la beauté a du point de vue sensitif un caractère particulier, doucement enivrant. Il n'apparaît pas clairement que la beauté apporte un profit ; sa nécessité culturelle ne se laisse pas discerner et cependant on ne saurait en concevoir l'absence dans la culture. La science de l'esthétique examine les conditions dans lesquelles est ressenti le beau ; sur la nature et la provenance de la beauté elle n'a pas pu fournir d'éclaircissement ; comme il est d'usage, l'absence de résultat est dissimulée par un luxe de paroles ronflantes et pauvres de contenu. Malheureusement, la psychanalyse a d'ailleurs moins que rien à dire sur la beauté. Un seul point semble assuré : c'est que la beauté dérive du domaine de la sensibilité sexuelle ; ce serait un modèle exemplaire d'une motion inhibée quant au but. La « beauté » et l' « attrait » sont originellement des propriétés de l'objet sexuel. Il est remarquable que les organes génitaux eux-mêmes, dont la vue a toujours un effet excitant, ne sont pourtant presque jamais jugés beaux, en revanche un caractère de beauté semble s'attacher à certains signes distinctifs sexués secondaires.

Malgré cette incomplétude[a], je risquerai dès maintenant quelques remarques pour conclure notre investigation. Le programme que nous impose le principe de plaisir, devenir heureux[b], ne peut être accompli, et pourtant il n'est pas permis — non, il n'est pas possible — d'abandonner nos efforts pour le rapprocher d'une façon ou d'une autre de son accomplissement. On peut, pour y parvenir, s'engager sur des voies très diverses, privilégier soit le contenu positif du but, le gain de plaisir, soit le contenu négatif, l'évitement de déplaisir. Sur aucune de ces voies nous ne pouvons atteindre tout ce que nous désirons. Le bonheur, dans l'acception modérée où il est reconnu comme possible, est un problème d'économie libidinale individuelle. Il n'y a pas ici de conseil qui vaille pour tous ; chacun doit essayer de voir lui-même de quelle façon

a. incomplétude de l'énumération des remèdes donnée *supra*, p. 17.
b. Cf. *supra*, p. 18.

particulière il peut trouver la béatitude[a]. Les facteurs les plus variés
se proposeront pour montrer à son choix les voies à suivre. Il s'agit
de savoir quelle quantité de satisfaction réelle chacun peut attendre
du monde extérieur et dans quelle mesure il est susceptible de se
rendre indépendant de lui ; enfin, quelle quantité de force il présume avoir pour le modifier selon ses souhaits. Ici déjà, en dehors
des circonstances extérieures, la constitution psychique de l'individu deviendra décisive. L'homme principalement érotique privilé-
giera les relations de sentiment à d'autres personnes, le narcissique
qui incline plutôt à se suffire à lui-même cherchera dans ses processus animiques internes les satisfactions essentielles, l'homme d'action ne lâchera pas le monde extérieur sur lequel il peut éprouver
sa force. Pour le deuxième de ces types, c'est la nature de ses dons
et le degré de sublimation pulsionnelle dont il est capable qui déter-
mineront où il doit situer ses intérêts. Toute décision extrême trou- 443
vera sa punition du fait qu'elle expose l'individu aux dangers inhé-
rents à l'insuffisance d'une technique de vie choisie de façon
exclusive. Tout comme le commerçant prudent évite de mettre tout
son capital sur un seul placement, la sagesse de vie, elle aussi,
conseillera peut-être de ne pas attendre toute satisfaction d'une
unique tendance. Le succès n'est jamais assuré, il dépend de la
conjonction de nombreux facteurs, et peut-être, plus que de tout
autre, de la capacité de la constitution psychique à adapter sa fonction au monde environnant et à exploiter celui-ci pour un gain de
plaisir. Celui qui a apporté avec soi une constitution pulsionnelle
particulièrement défavorable et qui n'est pas passé, selon les règles,
par le remodelage et réordonnancement de ses composantes libidinales, indispensable à l'activité ultérieure, aura des difficultés à
obtenir le bonheur à partir de sa situation extérieure, et cela d'autant plus qu'il est placé devant des tâches plus difficiles. Comme
dernière technique de vie, lui promettant au moins des satisfactions
substitutives, s'offre à lui la fuite dans la maladie névrotique, que la
plupart du temps il effectue dès ses jeunes années. Celui qui, dans
une période ultérieure de sa vie, constate alors la vanité de ses
efforts en vue du bonheur trouvera encore du réconfort dans le gain

a. Cf. *OCF.P*, XVIII, p. 63, n. b.

de plaisir de l'intoxication chronique ou bien entreprendra la tentative de révolte désespérée qu'est la psychose[1].

La religion porte préjudice à ce jeu du choix et de l'adaptation, du fait qu'elle impose à tous de la même façon sa propre voie pour l'acquisition du bonheur et la protection contre la souffrance. Sa technique consiste à rabaisser la valeur de la vie et à déformer de façon délirante l'image du monde réel, ce qui présuppose l'intimidation de l'intelligence. A ce prix, par fixation violente d'un infantilisme psychique et inclusion dans un délire de masse, la religion réussit à épargner à de nombreux hommes la névrose individuelle. Mais à peine plus; il y a, comme nous l'avons dit, de nombreuses voies qui peuvent mener au bonheur, tel qu'il est accessible à l'homme, il n'y en a aucune qui y conduise à coup sûr. La religion, elle non plus, ne peut tenir sa promesse. Lorsque le croyant se trouve finalement obligé de parler « des décrets insondables » de Dieu[a], il avoue ainsi qu'il ne lui reste, dans la souffrance, comme ultime possibilité de réconfort et source de plaisir, que la soumission sans condition. Et s'il est prêt à cette soumission, il aurait vraisemblablement pu s'épargner le détour.

### III

culture, caractéristiques + début renoncement

Notre investigation sur le bonheur ne nous a pas jusqu'ici enseigné grand-chose qui ne soit généralement connu. Même si nous la poursuivons en nous demandant pourquoi il est si difficile aux hommes de devenir heureux, la perspective d'apprendre du nouveau n'est pas beaucoup plus grande. Nous avons déjà donné la réponse[b]

---

1. [Ajout de 1931 :] Je me sens poussé à faire allusion à l'une au moins des lacunes qui subsistent dans la présentation ci-dessus. En considérant les possibilités humaines de bonheur, il ne faudrait pas omettre de tenir compte du rapport variable entre le narcissisme et la libido d'objet. On réclame de savoir ce que signifie pour l'économie libidinale le fait d'être pour l'essentiel réduit à soi-même.

a. *Épître aux Romains*, 11, 33 : « O profondeur de la richesse, de la sagesse et de la science de Dieu ! Que ses jugements sont insondables et ses voies impénétrables ! »
b. Cf. *supra*, p. 19.

en renvoyant aux trois sources d'où vient notre souffrance : la surpuissance de la nature, la caducité de notre propre corps et la déficience des dispositifs qui règlent les relations des hommes entre eux dans la famille, l'Etat et la société. En ce qui concerne les deux premières sources, notre jugement ne peut osciller longtemps ; il nous contraint à reconnaître ces sources de souffrance et à nous soumettre à l'inévitable. Nous ne dominerons jamais parfaitement la nature ; notre organisme, lui-même une part de cette nature, demeurera toujours une formation passagère, limitée dans son adaptation et ses performances. De cette connaissance ne procède aucun effet paralysant ; au contraire, elle assigne à notre activité son orientation. Si nous ne pouvons supprimer toute souffrance, du moins pouvons-nous en supprimer plus d'une et tempérer telle autre ; une expérience plusieurs fois millénaire nous en a convaincus. Nous nous comportons différemment envers la troisième source, la source de souffrance sociale. Celle-là, nous ne voulons absolument pas l'admettre, nous ne pouvons discerner pourquoi les dispositifs créés par nous-mêmes ne devraient pas être bien plutôt une protection et un bienfait pour nous tous. De toute façon, si nous considérons combien nous avons mal réussi en ce qui concerne précisément ce secteur de prévention de la souffrance, le soupçon s'éveille en nous que là-derrière pourrait aussi se cacher une part de l'invincible nature, cette fois-ci une part de notre propre complexion psychique.

Etant en voie d'examiner cette possibilité, nous nous heurtons à une affirmation qui est si surprenante que nous allons nous y arrêter. D'après elle, c'est ce que nous appelons notre culture qui pour une grande part porte la responsabilité de notre misère ; nous serions beaucoup plus heureux si nous l'abandonnions et retournions à des conditions primitives. Je dis surprenante parce que — de quelque façon qu'on puisse définir le concept de culture — il est malgré tout bien établi que tout ce par quoi nous tentons de nous protéger contre la menace émanant des sources de la souffrance ressortit justement à cette même culture.

Par quelle voie tant d'hommes en sont donc venus à prendre ce parti d'une déconcertante hostilité à la culture ? J'estime qu'un mécontentement profond, existant depuis longtemps, relatif à chaque état culturel donné, a constitué le terrain sur lequel s'éleva

ensuite, dans des occasions historiques déterminées, une condamna-
tion. La dernière et l'avant-dernière de ces occasions, je crois les
connaître; je ne suis pas assez savant pour suivre leur enchaînement assez loin dans l'histoire de l'espèce humaine. Déjà dans la
victoire du christianisme sur les religions païennes, un tel facteur
hostile à la culture n'a pas manqué de jouer un rôle. Il était en effet
très proche de la dévalorisation de la vie terrestre opérée par la
doctrine chrétienne. L'avant-dernière occasion se produisit lorsque,
grâce aux progrès des voyages de découverte, on entra en contact
avec des peuples et des tribus primitifs. Une observation insuffisante et une conception erronée de leurs mœurs et usages firent
croire aux Européens qu'ils menaient une vie simple, pauvre en
besoins et heureuse, telle qu'elle était inaccessible aux visiteurs
culturellement supérieurs. L'expérience ultérieure a rectifié bien
des jugements de cette sorte; en de nombreux cas, on avait par
erreur attribué à l'absence d'exigences culturelles compliquées un
certain degré d'allégement de la vie, qui était dû à la générosité de
la nature et à la commodité qu'elle offre pour la satisfaction des
grands besoins. La dernière occasion nous est particulièrement
familière; elle survint lorsqu'on apprit à connaître le mécanisme
des névroses qui menacent de saper le petit peu de bonheur de
l'homme de la culture. On découvrit que l'homme devient névrosé
parce qu'il ne peut supporter le degré de refusement que lui impose
la société au service de ses idéaux culturels, et on en conclut que la
suppression ou la forte diminution de ces exigences signifiait un
retour à des possibilités de bonheur.

Il s'y ajoute encore un facteur de désillusion. Au cours des dernières générations, les hommes ont fait des progrès extraordinaires
dans les sciences de la nature et dans leur application technique,
consolidant leur domination sur la nature d'une façon que l'on ne
pouvait se représenter auparavant. Les détails de ces progrès sont
généralement connus, il est superflu de les énumérer. Les hommes
sont fiers de ces conquêtes et ont le droit de l'être. Mais ils croient
avoir remarqué que cette possibilité nouvellement acquise de dispo-
ser de l'espace et du temps, cette soumission des forces de la nature,
accomplissement d'une désirance millénaire, n'ont pas augmenté le
degré de satisfaction de plaisir qu'ils attendent de la vie, ne les ont

pas, d'après ce qu'ils ressentent, rendus plus heureux. On devrait se contenter de tirer de cette constatation la conclusion que le pouvoir sur la nature n'est pas l'unique condition du bonheur humain, de même, bien sûr, qu'il n'est pas l'unique but des tendances de la culture, et non pas en déduire la non-valeur des progrès techniques pour notre économie du bonheur. On serait tenté de faire cette objection : N'est-ce donc pas un gain de plaisir positif, un surcroît sans équivoque de sentiment de bonheur, que de pouvoir entendre aussi souvent qu'il me plaît la voix de l'enfant qui vit loin de moi, à des centaines de kilomètres de distance, que de pouvoir apprendre dans les temps les plus brefs, après le débarquement de l'ami, qu'il s'est bien tiré de son long et pénible voyage ? Cela ne signifie-t-il rien que la médecine ait réussi à abaisser de manière aussi extraordinaire la mortalité des petits enfants, le danger d'infection pour les femmes qui enfantent, et même à prolonger d'un nombre considérable d'années la durée de vie moyenne de l'homme de la culture ? Et à ces bienfaits, que nous devons à cette ère si décriée des progrès scientifiques et techniques, nous pouvons encore en ajouter toute une longue série ; mais voici que la voix de la critique pessimiste se fait entendre et rappelle que la plupart de ces satisfactions suivent le modèle de ce « contentement à bon marché » qui est préconisé dans une certaine anecdote. On se procure cette jouissance en sortant une jambe nue de la couverture par une froide nuit d'hiver pour ensuite la rentrer. S'il n'y avait pas de chemin de fer pour surmonter les distances, l'enfant n'aurait jamais quitté sa ville natale, on n'aurait pas besoin de téléphone pour entendre sa voix. Si la navigation par-delà l'océan n'était pas là, l'ami n'aurait pas entrepris le voyage par mer. Je n'aurais pas besoin de télégraphe pour apaiser le souci que je me fais pour lui. A quoi nous sert la réduction de la mortalité infantile, si précisément elle nous impose la plus extrême retenue dans la procréation, de sorte que dans l'ensemble nous n'élevons, malgré tout, pas plus d'enfants que dans les temps antérieurs au règne de l'hygiène, mais qu'en même temps nous avons soumis à des conditions difficiles notre vie sexuelle dans le mariage et travaillé vraisemblablement à l'encontre de la bienfaisante sélection naturelle ? Et enfin, à quoi bon une longue vie, si elle est pénible, pauvre en joies et si chargée

447

de souffrances que nous ne pouvons accueillir la mort qu'en rédempteur ?

Il semble bien établi que nous ne nous sentons pas bien dans notre culture actuelle, mais il est très difficile de se faire une opinion pour juger si, et dans quelle mesure, les hommes des temps antérieurs se sont sentis plus heureux et quelle part revenait en cela aux conditions de leur culture. Nous serons toujours enclins à appréhender objectivement la misère, c.-à-d. à nous mettre, avec nos revendications et nos réceptivités, dans les conditions d'autrefois, pour examiner alors quels facteurs occasionnant des sensations de bonheur et de malheur nous trouverions en elles. Ce mode de considération, qui paraît objectif parce qu'il fait abstraction des variations de la sensibilité subjective, est naturellement le plus subjectif qui soit, du fait qu'il met à la place de tous les autres états animiques inconnus notre propre état. Or le bonheur est quelque chose de tout à fait subjectif. Si fort que soit l'effroi qui nous fait reculer devant certaines situations, celles du galérien de l'Antiquité, du paysan de la guerre de Trente Ans, de la victime de la Sainte Inquisition, du juif qui s'attend au pogrom, il nous est malgré tout impossible de nous mettre par empathie à la place de ces personnes, de deviner les modifications qu'ont entraîné l'état originel de stupeur hébétée, l'hébétude progressive, la cessation des espérances, les modes plus ou moins grossiers ou plus ou moins raffinés de narcotisation en ce qui concerne la réceptivité aux sensations de plaisir et déplaisir. Dans le cas d'une possibilité de souffrance extrême, des dispositifs de protection animiques déterminés sont aussi mis en activité. Il me paraît stérile de s'attacher plus avant à cet aspect du problème.

Il est temps de nous soucier de l'essence de cette culture, dont la valeur-bonheur est mise en doute. Nous n'exigerons aucune formule exprimant cette essence en peu de mots tant que nous n'aurons pas appris quelque chose de cette investigation. Il nous suffit donc de répéter[1] que le mot « culture » désigne la somme totale des réalisations et dispositifs par lesquels notre vie s'éloigne de celle de nos ancêtres animaux et qui servent à deux fins : la protection de l'homme contre la nature et la réglementation des relations des hommes entre

1. Voir : L'Avenir d'une illusion, 1927. [Cf. *OCF.P,* XVIII, p. 146.]

eux. Pour mieux comprendre, nous collecterons un à un les traits de la culture tels qu'ils se montrent dans les communautés humaines. Ce faisant, nous nous laissons guider sans hésitation par l'usage de la langue ou, comme on dit aussi, par le sentiment de la langue, confiants dans le fait qu'ainsi nous faisons droit à des intuitions intérieures qui s'opposent encore à l'expression en mots abstraits.

Le début est aisé : nous reconnaissons comme culturelles toutes les activités et valeurs qui sont profitables à l'homme en ce qu'elles mettent la terre à son service, le protègent contre la violence des forces de la nature, etc. C'est sur cet aspect du culturel qu'il existe bien le moins de doute. Pour remonter suffisamment loin, les premiers actes culturels furent l'usage d'outils, la domestication du feu, la construction d'habitations. Entre tous, la domestication du feu se distingue comme une performance tout à fait extraordinaire et sans précédent[1] ; par les autres actes, l'homme s'engagea sur des voies qu'il n'a pas cessé de suivre depuis lors, et il est facile de deviner ce qui l'y incita. Au moyen de tous ses outils, l'homme perfectionne ses organes — moteurs aussi bien que sensoriels — ou fait disparaître les limites de leurs performances. Les moteurs mettent à sa disposition des forces gigantesques qu'il peut, à l'instar de ses muscles, dépêcher dans n'importe quelle direction ; le navire et l'avion font que ni l'eau ni l'air ne peuvent entraver son déplacement. Avec les lunettes il corrige les défauts de la lentille de son œil, avec le télescope il voit à des distances lointaines, avec le microscope il sur-

1. Un matériel psychanalytique incomplet, qu'on ne peut interpréter avec certitude, permet cependant au moins une supposition — qui paraît fantastique — au sujet de l'origine de ce haut fait humain. C'est comme si l'homme originaire avait eu l'habitude, quand il rencontrait le feu, de satisfaire sur lui un plaisir infantile en l'éteignant par son jet d'urine. Sur la conception phallique originaire de la flamme qui, comme une langue, s'étire dans les airs, il ne peut y avoir, d'après les légendes existantes, aucun doute. Eteindre le feu en urinant — ce à quoi ont encore recours ces tardifs enfants de géants que sont Gulliver à Lilliput et le Gargantua de Rabelais — était donc comme un acte sexuel avec un homme, comme une jouissance de la puissance masculine sans la compétition homosexuelle. Celui qui, le premier, renonça à ce plaisir, épargnant le feu, put l'emporter avec lui et le contraindre à le servir. En étouffant le feu de sa propre excitation sexuelle, il avait domestiqué cette force de la nature qu'est le feu. Cette grande conquête culturelle serait donc la récompense d'un renoncement pulsionnel. Et de plus, c'est comme si on avait commis la femme à être gardienne de ce feu retenu prisonnier au foyer domestique, parce que sa conformation anatomique lui interdit de céder à une telle tentation de plaisir. Il faut aussi noter avec quelle régularité les expériences analytiques attestent la corrélation entre ambition, feu et érotisme urinaire.

monte les frontières de la visibilité qui sont délimitées par la conformation de sa rétine. Avec l'appareil photographique il a créé un
instrument qui retient les impressions visuelles fugitives, ce que le
disque du gramophone est tenu de lui fournir pour les impressions
sonores également passagères, tous deux étant au fond des matéria-
lisations de la faculté de se souvenir qui lui est donnée, c.-à-d. de sa
mémoire. A l'aide du téléphone il entend de loin, à des distances
que même le conte respecterait comme inaccessibles ; l'écriture est à
l'origine la langue de l'absent, la maison d'habitation un substitut
du ventre maternel, ce premier habitacle qui vraisemblablement
est toujours resté objet de désirance, où l'on était en sécurité et où
l'on se sentait si bien.

Ce n'est pas seulement que cela ait l'air d'un conte ; ce que
l'homme, par sa science et sa technique, a instauré sur cette terre,
sur laquelle il fit d'abord son entrée comme un être animal plein de
faiblesse et où tout individu de son espèce doit entrer comme un
nourrisson en désaide — *oh inch of nature*[a] ! —, c'est directement l'accomplissement de tous les souhaits des contes — non, de la plupart
d'entre eux. Tout ce fonds, il a le droit de le revendiquer comme
acquis culturel. Il s'était forgé de longtemps une représentation
idéale de l'omnipotence et de l'omniscience qu'il incarnait dans ses
dieux. Il leur attribuait tout ce qui semblait inaccessible à ses
souhaits ou qui lui était interdit. On peut donc dire que ces dieux
étaient des idéaux culturels. Maintenant il s'est beaucoup rappro-
ché de l'accession à cet idéal, il est lui-même presque devenu un
dieu. Certes, seulement à la manière dont, selon le jugement général des hommes, on accède habituellement aux idéaux. Non pas
parfaitement : sur certains points pas du tout, sur d'autres seulement à moitié. L'homme est pour ainsi dire devenu une sorte de

451

a.  Quatre mots en anglais dans le texte. En réalité : « *Poore inch of Nature* » (Pauvre
poucet de la Nature). Ces paroles, adressées par Periclès à sa fille qui vient de naître,
sont extraites d'un roman de George Wilkins *The Painfull Adventures of Pericles Prince of
Tyre* (Les douloureuses aventures de Periclès, Prince de Tyr, Printed by T. P. for Nat
Butter, London, 1608, chap. VII). Freud en a eu connaissance par le livre de l'écrivain
danois Georg Brandes, dont il possédait une traduction en allemand (*William Shakespeare,* Paris-Leipzig-München, Albert Langen, 1896. Chap. XV, p. 841) : un chapitre y
est consacré au *Pericles* de Shakespeare (paru en 1609) et à une éventuelle collaboration
de Wilkins dans la genèse de cette tragédie.

dieu prothétique, vraiment grandiose quand il revêt tous ses organes adjuvants; mais ceux-ci ne font pas corps avec lui et ils lui donnent à l'occasion encore beaucoup de mal. Il a du reste le droit de se consoler à l'idée que ce développement ne sera pas précisément achevé en l'an de grâce 1930[a]. Dans ce domaine de la culture, des temps lointains entraîneront de nouveaux progrès dont on ne peut vraisemblablement pas se représenter l'ampleur, augmentant encore plus la ressemblance avec Dieu. Mais dans l'intérêt de notre investigation, nous n'oublierons pas non plus que l'homme d'aujourd'hui ne se sent pas heureux dans sa ressemblance avec Dieu.

Nous reconnaissons donc le niveau de culture d'un pays quand nous trouvons qu'en lui est entretenu et traité de façon appropriée tout ce qui sert à l'utilisation de la terre par l'homme et à la protection de celui-ci contre les forces de la nature, donc, brièvement résumé : ce qui lui est utile. Dans un tel pays, les fleuves qui menacent de provoquer des inondations auraient leurs cours régularisé, leur eau amenée par des canaux là où on en est privé. Le sol serait travaillé avec soin et serait planté des végétaux qu'il est propre à porter, les richesses minérales des profondeurs seraient extraites avec diligence et transformées pour en faire les outils et instruments requis. Les moyens de communication seraient abondants, rapides et sûrs, les animaux sauvages et dangereux seraient exterminés, l'élevage des animaux domestiqués serait florissant. Mais il nous faut poser encore d'autres exigences à la culture et il est remarquable que nous espérions les trouver réalisées dans ces mêmes pays. Comme si nous voulions dénier la revendication que nous avons tout d'abord élevée, nous saluons aussi comme culturel ce que font les hommes quand nous voyons leur sollicitude se tourner vers des choses qui ne sont pas du tout utiles et sembleraient plutôt inutiles, par ex. quand les espaces aménagés en jardins, nécessaires dans une ville comme terrains de jeu et réserves d'air, portent aussi des plates-bandes de fleurs, ou quand les fenêtres des demeures sont ornées de pots de fleurs. Nous remarquons bientôt que l'inutile, dont nous attendons qu'il soit estimé par la culture, c'est la beauté ; nous exigeons que l'homme de la culture vénère la beauté là où il

a. Année de parution de *Malaise dans la culture*.

la rencontre dans la nature et qu'il l'instaure dans des objets, pour
autant que le permet le travail de ses mains. Il s'en faut de beaucoup que nos revendications envers la culture soient par là épuisées.
Nous réclamons encore de voir les signes de la propreté et de
l'ordre. Nous ne nous faisons pas une haute idée de la culture d'une
ville de province anglaise à l'époque de Shakespeare quand nous
lisons qu'un gros tas de fumier s'étalait devant la porte de sa maison paternelle à Stratford ; nous sommes indignés et crions au
« barbare » — ce qui est l'opposé du culturel — quand nous trouvons les chemins du Wiener Wald[a] jonchés de papiers épars. Toute
espèce de saleté nous semble incompatible avec la culture ; de
même, nous étendons au corps humain l'exigence de propreté, nous
sommes étonnés d'apprendre quelle mauvaise odeur la personne du
Roi-Soleil répandait habituellement, et nous hochons la tête
quand on nous montre à Isola bella[b] la minuscule cuvette dont se
servait Napoléon pour sa toilette du matin. Bien plus, nous ne
sommes pas surpris si quelqu'un va jusqu'à ériger l'usage du savon
en étalon de la culture. Il en est de même de l'ordre qui, tout
comme la propreté, se rapporte totalement à l'œuvre de l'homme.
Mais, alors que nous ne devons pas nous attendre à la propreté
dans la nature, l'ordre au contraire s'apprend à l'écoute de la
nature ; l'observation des grandes régularités astronomiques a
donné à l'homme non seulement le modèle, mais aussi les premiers
points de repère pour introduire l'ordre dans sa vie. L'ordre est une
sorte de contrainte de répétition qui, par un dispositif établi une
fois pour toutes, décide quand, où et comment quelque chose doit
être fait, si bien que dans chaque cas identique on s'épargne hésita-
tions et oscillations. Le bienfait de l'ordre est tout à fait indéniable,
il permet à l'homme la meilleure utilisation de l'espace et du temps
tout en ménageant ses forces psychiques. On pourrait s'attendre à
ce qu'il s'impose dès le début et sans contrainte dans les faits et
gestes humains, et l'on peut s'étonner que cela ne soit pas le cas,
que l'homme au contraire fasse montre d'un penchant naturel à la

a. Collines des environs de Vienne, célèbres pour leurs forêts et leurs vignobles.
b. Ile du Lac Majeur, où Bonaparte séjourna en 1800, quelques jours avant la
bataille de Marengo.

négligence, à l'irrégularité et au manque de fiabilité dans son travail et qu'il lui faille d'abord être laborieusement éduqué en vue d'imiter les modèles célestes.

Beauté, propreté et ordre occupent manifestement une position particulière parmi les exigences de la culture. Personne n'affirmera qu'ils ont tout autant d'importance vitale que la domination des forces de la nature et que d'autres facteurs avec qui nous aurons encore à faire connaissance, et cependant personne ne voudra de bon gré les reléguer au rang de caractères accessoires. Que la culture ne soit pas seulement soucieuse d'utilité, c'est ce que montre déjà l'exemple de la beauté, que nous ne voulons pas voir absente des intérêts de la culture. L'utilité de l'ordre est tout à fait manifeste ; quant à la propreté, nous avons à considérer qu'elle est exigée aussi par l'hygiène, et nous pouvons supposer que cette corrélation n'était pas tout à fait étrangère aux hommes, dès avant l'époque d'une prévention scientifique de la maladie. Mais l'utilité ne nous explique pas totalement la tendance ; il faut que quelque chose d'autre encore soit en jeu.

Selon nous, aucun autre trait ne caractérise mieux la culture que l'estime et les soins accordés aux activités psychiques supérieures, aux performances intellectuelles, scientifiques et artistiques, au rôle directeur concédé aux idées dans la vie des hommes. Parmi ces idées se trouvent tout en haut les systèmes religieux, dont j'ai tenté ailleurs[a] d'éclairer l'édification compliquée ; à côté d'eux, les spéculations philosophiques, et enfin ce qu'on peut appeler les formations d'idéal des hommes, leurs représentations d'une perfection possible de la personne individuelle, du peuple, de l'humanité tout entière, et les exigences qu'ils élèvent sur la base de ces représentations. Que ces créations ne soient pas indépendantes les unes des autres, qu'elles soient bien plutôt intimement entremêlées les unes aux autres, rend plus difficiles aussi bien leur présentation que leur dérivation psychologique. Si nous faisons l'hypothèse, de manière tout à fait générale, que le ressort de toutes les activités humaines est la tendance vers ces deux buts confluents, utilité et gain de plaisir, nous devons faire valoir la même chose aussi pour les manifesta-

a. Cf. *L'avenir d'une illusion.*

tions culturelles ici mentionnées, bien que cela ne soit aisément visible que pour l'activité scientifique et artistique. Mais on ne peut pas douter que les autres activités elles aussi correspondent à de forts besoins des hommes, peut-être à ceux qui ne sont développés que chez une minorité. On ne doit pas non plus se laisser égarer par des jugements de valeur sur tel de ces systèmes religieux et philosophiques et tel de ces idéaux ; que l'on cherche en eux la plus haute performance de l'esprit humain ou qu'on les déplore comme des égarements, on doit reconnaître que leur présence, en particulier leur prédominance, signifie un haut niveau de culture.

Comme dernier trait caractéristique d'une culture, un trait qui n'est certes pas le moins important, nous avons à apprécier de quelle manière sont réglées les relations des hommes entre eux, les relations sociales qui concernent l'homme comme voisin, comme aide, comme objet sexuel d'un autre, comme membre d'une famille, d'un Etat. Il devient ici particulièrement difficile de se préserver de certaines exigences d'idéal et de saisir ce qui est somme toute culturel. Peut-être commence-t-on par déclarer que l'élément culturel est donné avec la première tentative pour régler ces relations sociales. Si une telle tentative n'avait pas lieu, ces relations seraient soumises à l'arbitraire de l'individu, c.-à-d. que le plus fort physiquement en déciderait dans le sens de ses intérêts et motions pulsionnelles. Il n'y aurait rien de changé à cela si ce plus fort trouvait à son tour un individu encore plus fort. La vie en commun des hommes n'est rendue possible que si se trouve réunie une majorité qui est plus forte que chaque individu et qui garde sa cohésion face à chaque individu. La puissance de cette communauté s'oppose maintenant en tant que « droit » à la puissance de l'individu qui est condamnée en tant que « violence brute ». Ce remplacement de la puissance de l'individu par celle de la communauté est le pas culturel décisif. Son essence consiste en ce que les membres de la communauté se limitent dans leurs possibilités de satisfaction, alors que l'individu isolé ne connaissait pas de limite de ce genre. L'exigence culturelle suivante est alors celle de la justice, c.-à-d. l'assurance que l'ordre de droit, une fois donné, ne sera pas de nouveau battu en brèche en faveur d'un individu. En cela rien n'est décidé sur la valeur éthique d'un tel droit. La voie ultérieure du développement culturel semble tendre à ce que ce droit ne soit plus l'exculture brime liberté individuelle

pression de la volonté d'une petite communauté — caste, couche de population, tribu —, se comportant à son tour envers d'autres masses de même sorte, et peut-être plus vastes, comme un individu violent. Le résultat final est censé être un droit auquel tous — ou du moins tous ceux qui sont aptes à être en communauté — ont contribué par leurs sacrifices pulsionnels, et qui ne laisse aucun d'eux — là encore avec la même exception — devenir victime de la violence brute.

La liberté individuelle n'est pas un bien de culture. C'est avant toute culture qu'elle était la plus grande, mais alors le plus souvent sans valeur, parce que l'individu était à peine en état de la défendre. Du fait du développement de la culture, elle connaît des restrictions et la justice exige que ces restrictions ne soient épargnées à personne. Ce qui bouillonne dans une communauté humaine en tant que poussée à la liberté peut être révolte contre une injustice existante et ainsi être favorable à un développement ultérieur de la culture, rester conciliable avec la culture. Mais cela peut aussi être issu du reste de la personnalité originelle, non domptée par la culture, et devenir ainsi le fondement de l'hostilité à la culture. La poussée à la liberté se dirige donc contre des formes et des revendications déterminées de la culture ou bien contre la culture en général. Il ne semble pas qu'en exerçant une quelconque influence on puisse amener l'homme à muer sa nature en celle d'un termite, il défendra sans doute toujours sa revendication de liberté individuelle contre la volonté de la masse. Une bonne part de la lutte de l'humanité se concentre sur une seule tâche, trouver un équilibre approprié, c.-à-d. porteur de bonheur, entre ces revendications individuelles et les revendications culturelles de la masse ; l'un des problèmes qui engagent le destin de l'humanité est de savoir si cet équilibre peut être atteint par une configuration déterminée de la culture ou si le conflit exclut toute réconciliation.

En nous laissant indiquer par le sentiment général quels traits dans la vie des hommes doivent être nommés culturels, nous avons obtenu une impression nette du tableau d'ensemble de la culture, mais certes sans rien apprendre jusqu'ici qui ne soit généralement connu. Ce faisant, nous nous sommes gardés de souscrire au préjugé qui veut que la culture soit synonyme de perfectionnement, qu'elle soit la voie assignée à l'homme vers la perfection. Mais

456

maintenant s'impose à nous une conception qui conduit peut-être autre part. Le développement de la culture nous apparaît comme un procès spécifique qui se déroule à l'échelle de l'humanité et dans lequel bien des choses nous donnent comme une impression de familiarité. Ce procès, nous pouvons le caractériser par les modifications qu'il effectue sur les prédispositions pulsionnelles humaines connues, dont la satisfaction n'en est pas moins la tâche économique de notre vie. Quelques-unes de ces pulsions sont absorbées de telle manière qu'à leur place survient quelque chose que nous décrivons chez l'individu pris isolément comme particularité de caractère. L'exemple le plus remarquable de ce processus, nous l'avons trouvé dans l'érotisme anal de l'adolescent. Son intérêt originel pour la fonction d'excrétion, ses organes et ses produits, se mue au cours de la croissance en un groupe de particularités qui nous sont connues comme parcimonie, sens de l'ordre et propreté, particularités qui, en elles-mêmes précieuses et bienvenues, peuvent s'intensifier jusqu'à prendre une prédominance frappante, donnant alors ce qu'on appelle le caractère anal. Comment cela se fait, nous ne le savons pas; quant à l'exactitude de cette conception, elle ne fait aucun doute[1]. Or nous avons trouvé que l'ordre et la propreté sont des revendications culturelles essentielles, bien que leur nécessité vitale n'apparaisse pas précisément comme évidente, pas plus que leur aptitude à être des sources de jouissance. Arrivés à ce point, la similitude du procès culturel avec le développement libidinal de l'individu ne pouvait manquer de s'imposer à nous d'emblée. D'autres pulsions sont amenées à déplacer, à reporter sur d'autres voies, les conditions de leur satisfaction, ce qui dans la plupart des cas coïncide avec la sublimation (des buts pulsionnels) bien connue de nous, mais dans d'autres cas peut encore être démarqué d'elle. La sublimation pulsionnelle est un trait particulièrement saillant du développement de la culture, elle permet que des activités psychiques supérieures, scientifiques, artistiques, idéologiques, jouent dans la vie de culture un rôle tellement significatif.

457

---

1. V. Caractère et érotisme anal, 1908 [Charakter und Analerotik, *GW*, VII ; *OCF.P*, VIII] et de nombreuses contributions ultérieures de E. J o n e s [Anal-Erotic Character Traits, *J. abnorm. Psychol.*, 1918, *13*, 261], etc.

Si l'on cède à la première impression, on est tenté de dire que la sublimation est en général un destin de pulsion que la culture obtient par contrainte. Mais on fera mieux d'y réfléchir encore plus longtemps. Troisièmement enfin, et c'est ce qui semble le plus important, il est impossible de ne pas voir dans quelle mesure la culture est édifiée sur du renoncement pulsionnel, à quel point elle présuppose précisément la non-satisfaction (répression, refoulement et quoi d'autre encore?) de puissantes pulsions. Ce « refusement par la culture » exerce sa domination sur le grand domaine des relations sociales des hommes ; nous savons déjà qu'il est la cause de l'hostilité contre laquelle ont à combattre toutes les cultures. Il posera aussi de lourdes exigences à notre travail scientifique, nous avons là à fournir beaucoup d'éclaircissements. Il n'est pas facile de comprendre comment s'y prendre pour retirer à une pulsion la satisfaction. Cela n'est pas du tout sans danger ; si l'on ne compense pas cela économiquement, on peut s'attendre à des troubles graves.

Mais si nous voulons savoir à quelle valeur peut prétendre notre **458** conception du développement de la culture en tant que procès particulier, comparable à la maturation normale de l'individu, il nous faut manifestement nous attaquer à un autre problème, nous poser la question de savoir à quelles influences le développement de la culture doit son origine, comment il a pris naissance et par quoi fut déterminé son cours.

IV

Cette tâche semble énorme, on est en droit d'avouer son découragement. Voici le peu que j'ai pu deviner.

Une fois que l'homme originaire eut découvert qu'il avait entre ses mains — littéralement parlant — l'amélioration de son sort sur la terre par le travail, il ne pouvait lui être indifférent qu'un autre travaillât avec ou contre lui. L'autre prit pour lui la valeur de ce compagnon de travail avec qui il était utile de vivre en commun. Déjà auparavant, dans son premier âge, celui où il ressemblait au singe, il avait pris l'habitude de former des familles ; les membres de la famille furent vraisemblablement ses premiers aides. A ce qu'on suppose, la fondation de la famille fut en corrélation avec le fait que le besoin de satisfaction génitale ne survenait plus comme un hôte qui apparaît tout à coup chez vous et qui après son départ ne donne plus de ses nouvelles pendant longtemps, mais s'installait chez l'individu comme locataire permanent. Par là, le mâle eut un motif de garder auprès de lui la femme ou, plus généralement, les objets sexuels; les femelles qui ne voulaient pas se séparer de leurs petits en désaide durent aussi, dans l'intérêt de ceux-ci, rester près du mâle, plus fort[1].

---

1. La périodicité organique du processus sexuel s'est, il est vrai, maintenue, mais son influence sur l'excitation sexuelle psychique s'est plutôt renversée dans son contraire. Cette modification est avant tout en corrélation avec le passage à l'arrière-plan des stimuli olfactifs par lesquels le processus de menstruation agissait sur la psyché masculine. Leur rôle fut repris par des excitations visuelles qui, à l'opposé des stimuli olfactifs intermittents, pouvaient entretenir une action permanente. Le tabou de la menstruation est issu de ce « refoulement organique » comme défense contre une phase de développement surmontée ; toutes les autres motivations sont vraisemblablement de nature secondaire. (Cf. C. D. Daly, *Mythologie hindoue et complexe de castration* [Hindu-Mythologie und Kastrationskomplex], Imago XIII, 1927 [145-198].) Ce processus se répète à un autre niveau, quand les dieux d'une période culturelle dépassée deviennent des démons. Mais le passage à l'arrière-plan des stimuli olfactifs semble lui-même résulter du fait que l'être humain s'est détourné de la terre, s'est décidé à la marche verticale, par laquelle les organes génitaux jusque-là recouverts deviennent visibles et ont besoin de protection, et qui ainsi suscite la honte. Au début de ce procès culturel fatal, il y aurait donc la verticalisation de l'être humain. L'enchaînement à partir d'ici passe par la dévalorisation des stimuli olfactifs et l'isolation pendant la période menstruelle, va jusqu'à la prépondérance des stimuli visuels, à la visibilité acquise des organes génitaux, puis jusqu'à la continuité de l'excitation sexuelle, à la fondation de la famille, et par là jusqu'au seuil de la culture humaine. Cela n'est qu'une spéculation théorique, mais suffisamment importante pour mériter d'être exactement vérifiée sur les conditions de vie des animaux proches de l'être humain.

De même, dans l'aspiration culturelle à la propreté, qui trouve une justification après coup dans les considérations hygiéniques, mais qui s'est déjà manifestée avant qu'on en ait l'idée, on ne peut méconnaître un facteur social. L'incitation à la propreté découle de la pressante nécessité de mettre à l'écart les excréments devenus désagréables à la perception sensorielle. Nous savons qu'il en est autrement dans la chambre des enfants. Les excréments ne suscitent chez l'enfant aucune répugnance, ils lui apparaissent comme ayant une valeur en tant que partie de son corps qui s'est détachée. L'éducation insiste ici avec une particulière énergie sur l'accélération du parcours de développement à venir, qui doit rendre les excréments sans valeur, dégoûtants, répugnants et abominables. Une telle transvaluation serait à peine possible si ces matières soustraites au corps n'étaient pas condamnées par leurs fortes odeurs à partager le destin qui est réservé aux stimuli olfactifs après la verticalisation de l'être humain par rapport au sol. L'érotisme anal succombe donc d'abord au « refoulement organique » qui a frayé la voie à la culture. Le facteur social qui assure la mutation ultérieure de l'érotisme anal se trouve attesté par le fait que, malgré tous les progrès de développement, l'odeur de ses propres excréments est à peine choquante pour l'être humain, celle des excrétions de l'autre continuant seule à l'être. Le malpropre, c.-à-d. celui qui ne dissimule pas ses

Dans cette famille primitive, nous constatons encore l'absence d'un 459
trait essentiel de la culture ; l'arbitraire du chef suprême et père était
illimité. Dans « Totem et tabou »[a], j'ai tenté d'indiquer la voie qui
conduisait de cette famille au stade suivant de la vie en commun sous
la forme des alliances de frères. En terrassant le père, les fils avaient 460
fait l'expérience qu'une union peut être plus forte que l'individu. La
culture totémique repose sur les restrictions qu'ils durent nécessairement s'imposer les uns aux autres pour maintenir le nouvel état. Les
prescriptions de tabou furent le premier « droit ». La vie en commun
des hommes fut donc doublement fondée, par la contrainte au travail
que créa la nécessité extérieure, et par la puissance de l'amour qui ne
voulait pas être privé, pour ce qui est de l'homme, de l'objet sexuel
trouvé en la femme, pour ce qui est de la femme, de la portion détachée d'elle qu'est l'enfant. Eros et Anankè sont ainsi devenus les
parents de la culture humaine. Le premier succès culturel fut que
désormais un plus grand nombre d'hommes purent aussi rester en
communauté. Et comme les deux grandes puissances agissaient là
conjointement, on aurait pu s'attendre à ce que le développement
ultérieur s'effectuât tout uniment, conduisant à une domination
toujours meilleure du monde extérieur, tout comme à une extension
plus vaste du nombre d'hommes englobés dans la communauté. Il
n'est d'ailleurs pas facile de comprendre comment cette culture peut
avoir sur ses participants un autre effet que de leur apporter le
bonheur.

Avant même d'examiner d'où peut venir une perturbation, per-
mettons-nous une digression en revenant à la reconnaissance de
l'amour comme un fondement de la culture, pour combler une
lacune d'une précédente discussion[b]. Nous avons dit que l'expérience[c] selon laquelle l'amour sexué (génital) procure à l'être

excréments, offense donc l'autre, ne témoigne d'aucun égard pour lui, et c'est d'ailleurs
ce que disent bien les injures les plus énergiques et les plus usuelles. Il serait d'ailleurs
incompréhensible que l'être humain utilise comme mot injurieux le nom de son plus
fidèle ami du monde animal, si le chien ne s'attirait pas le mépris de l'être humain par
deux particularités, être un animal olfactif qui ne craint pas les excréments et n'avoir
pas honte de ses fonctions sexuelles.

a. *Totem und Tabu*, IV, *GW,* IX ; *OCF.P*, XI.
b. Cf. *supra*, p. 25.
c. *Erfahrung*.

humain les plus fortes expériences vécues de satisfaction[a], lui four-
nissant à proprement parler le modèle de tout bonheur, aurait dû
suggérer de continuer à chercher la satisfaction de bonheur dans la
vie sur le terrain des relations sexuées, en plaçant l'érotisme génital
au centre de la vie. Nous ajoutions que par cette voie on se rend, de
la manière la plus problématique, dépendant d'un morceau du
monde extérieur, à savoir de l'objet d'amour choisi, et qu'on s'expose à la plus forte des souffrances si l'on est dédaigné par lui ou si
on le perd pour cause d'infidélité ou de mort. Aussi les sages de tous
les temps ont-ils, avec la plus expresse insistance, déconseillé de
suivre cette voie dans la vie ; elle n'a cependant pas perdu l'attrac-
tion qu'elle exerce sur un grand nombre d'enfants des hommes.

A une faible minorité d'entre eux, il est accordé, de par leur
constitution, de trouver malgré tout le bonheur sur la voie de
l'amour, mais pour cela d'amples modifications animiques de la
fonction d'amour sont indispensables. Ces personnes se rendent
indépendantes de l'assentiment de l'objet en déplaçant la valeur
principale du fait d'être aimé sur celui d'aimer soi-même. Elles se
protègent contre la perte de cet objet en dirigeant leur amour non
sur des objets individuels, mais dans une même mesure sur tous les
êtres humains, et elles évitent les oscillations et désillusions de
l'amour génital en le déviant de son but sexuel, en transformant la
pulsion en une motion inhibée quant au but. Ce qu'elles pro-
voquent en elles de cette façon, cet état de tendre sensibilité, en
égal suspens, ne se laissant décontenancer par rien, n'a plus beaucoup de ressemblance extérieure avec cette vie amoureuse génitale
à l'agitation tempétueuse, dont elle est pourtant dérivée. Saint
François d'Assise pourrait bien être celui qui est allé le plus loin
dans cette utilisation de l'amour en faveur du sentiment de
bonheur intérieur ; ce que nous reconnaissons comme l'une des
techniques d'accomplissement du principe de plaisir a d'ailleurs été
plus d'une fois mis en relation avec la religion, avec laquelle ce
principe de plaisir pourrait bien être en rapport dans ces régions
éloignées où l'on néglige de différencier le moi d'avec les objets et
ceux-ci les uns d'avec les autres. Une perspective éthique, dont la

----

a. *Befriedigungserlebnisse.*

*amour, famille et culture*

motivation plus profonde nous deviendra bientôt évidente[a], veut voir dans cette propension à l'amour universel pour les hommes et le monde la position la plus haute à laquelle l'homme peut s'élever. Ici déjà nous voudrions ne pas garder par-devers nous nos deux réserves principales. Un amour qui ne choisit pas nous semble perdre une partie de sa valeur propre du fait qu'il est injuste envers l'objet. Et qui plus est : les hommes ne sont pas tous dignes d'être aimés.

Cet amour qui fonda la famille continue d'être à l'œuvre dans la culture, aussi bien marqué de son empreinte originelle, ne renonçant pas à une satisfaction sexuelle directe, que modifié en tendresse inhibée quant au but. Sous les deux formes, il poursuit sa fonction, qui est de lier un assez grand nombre d'hommes les uns aux autres et de façon plus intense que n'y parvient l'intérêt de la communauté de travail. La négligence de la langue dans l'emploi du mot « amour » trouve une justification génétique. On nomme amour la relation entre l'homme et la femme qui, sur la base de leurs besoins génitaux, ont fondé une famille, mais amour aussi les sentiments positifs entre parents et enfants, entre les frères et sœurs dans la famille, bien qu'il nous faille décrire cette relation comme amour inhibé quant au but, comme tendresse. C'est que l'amour inhibé quant au but était à l'origine un amour pleinement sensuel et il l'est toujours dans l'inconscient de l'être humain. Tous deux, l'amour pleinement sensuel et l'amour inhibé quant au but, débordent de la famille et instaurent de nouvelles liaisons avec des êtres jusqu'alors étrangers. L'amour génital mène à de nouvelles formations de famille, l'amour inhibé quant au but à des « amitiés » qui deviennent culturellement importantes parce qu'elles échappent à bien des limitations de l'amour génital, par ex. à son exclusivité. Mais le rapport de l'amour à la culture perd au cours du développement son univocité. D'une part l'amour s'oppose aux intérêts de la culture, d'autre part la culture menace l'amour de restrictions sensibles.

Cette désunion semble inévitable ; sa raison ne peut être immédiatement reconnue. Elle se manifeste tout d'abord comme un conflit entre la famille et la communauté plus grande à laquelle appartient

462

*amour vs culture*

a. Cf. *infra*, p. 54-55.

l'individu. Nous avons déjà deviné que l'une des tendances principales de la culture est d'agglomérer les hommes en de grandes unités.
Mais la famille ne veut pas donner sa liberté à l'individu. Plus la
cohésion des membres de la famille est étroite, plus ceux-ci inclinent
souvent à se couper des autres, plus il leur deviendra difficile d'entrer
dans cette sphère de vie plus large. Le seul mode de vie en commun
existant dans l'enfance, celui qui est phylogénétiquement plus
ancien, se défend pour n'être pas relayé par le mode culturel acquis
ultérieurement. Le détachement d'avec la famille devient pour tout
adolescent une tâche que la société l'aide souvent à résoudre par des
rites de puberté et d'accueil. On acquiert l'impression que ce sont là
des difficultés qui sont attachées à tout développement psychique, et
même, au fond, à tout développement organique aussi.

En outre, les femmes entrent bientôt en opposition avec le cou-
rant de la culture et déploient leur influence retardatrice et freina-
trice, ces mêmes femmes qui, au début, par les exigences de leur
amour, avaient posé les fondements de la culture. Les femmes
représentent les intérêts de la famille et de la vie sexuelle ; le travail
culturel est devenu toujours davantage l'affaire des hommes, il leur
assigne des tâches toujours plus difficiles, les obligeant à des sublimations pulsionnelles, auxquelles les femmes sont peu aptes. Etant
donné que l'être humain ne dispose pas de quantités illimitées
d'énergie psychique, il lui faut venir à bout de ces tâches par une
répartition appropriée de la libido. Ce qu'il consomme à des fins
culturelles, c'est en grande partie aux femmes et à la vie sexuelle
qu'il le retire : le fait d'être constamment avec des hommes et d'être
dépendant des relations avec eux tend même à le rendre étranger à
ses tâches d'époux et de père. C'est ainsi que la femme se voit poussée à l'arrière-plan par les revendications de la culture et qu'elle
entre avec celle-ci dans un rapport d'hostilité.

De la part de la culture, la tendance à restreindre la vie sexuelle
n'est pas moins nette que l'autre consistant à étendre la sphère de
la culture. Déjà, la première phase de la culture, celle du toté-
misme, implique l'interdit du choix d'objet incestueux, peut-être la
mutilation la plus tranchante que la vie amoureuse humaine ait
subi au cours des temps. Par le tabou, la loi et la coutume, d'autres
restrictions sont instaurées qui concernent tout aussi bien les

hommes que les femmes. Mais ici les cultures ne vont pas toutes aussi loin; la structure économique de la société influence aussi le degré de liberté sexuelle restante. Nous savons déjà que sur ce point la culture se plie à la contrainte de la nécessité économique, étant donné qu'il lui faut retirer à la sexualité un grand montant de l'énergie psychique qu'elle consomme elle-même. La culture se conduit ici envers la sexualité comme une tribu ou une couche de la population qui en a soumis une autre à son exploitation. L'angoisse devant le soulèvement des opprimés pousse à prendre des mesures de précaution rigoureuses. Notre culture européenne occidentale marque un point culminant de ce développement. Il est psychologiquement tout à fait justifié qu'elle commence par prohiber les manifestations de la vie sexuelle enfantine, car il n'y a aucune perspective d'endiguer les désirs sexuels des adultes si l'on n'y a pas préalablement travaillé dans l'enfance. Mais ce qui ne peut en aucune façon se justifier, c'est que la société de la culture soit allée jusqu'à dénier aussi ces phénomènes aisément décelables et même frappants. Le choix d'objet de l'individu sexuellement mature est réduit au sexe opposé, la plupart des satisfactions extra-génitales sont interdites[a] comme perversions. L'exigence d'une vie sexuelle d'une même nature pour tous, qui se révèle dans ces interdits[b], se place au-dessus des inégalités dans la constitution sexuelle, innée et acquise, des humains, coupe un assez grand nombre d'entre eux de la jouissance sexuelle et devient ainsi la source d'une grave injustice. Le succès de ces mesures restrictives pourrait être maintenant que, chez ceux qui sont normaux, ceux qui n'en sont pas constitutionnellement empêchés, tout intérêt sexuel se déverse sans perte dans les canaux laissés ouverts. Mais ce qui reste libre de proscription, l'amour génital hétérosexuel, continue à subir le préjudice causé par les limitations de la légitimité et de la monogamie. La culture actuelle fait nettement connaître qu'elle ne veut bien autoriser des relations sexuelles que sur la base d'une liaison d'un homme à une femme, contractée une fois pour toutes, indissoluble, qu'elle n'aime pas la sexualité comme source autonome de plaisir et

a. *untersagt.*
b. *Verbote.*

qu'elle n'est disposée à la tolérer que comme source, jusqu'ici irremplacée, de la multiplication des humains.

C'est là naturellement une position extrême. Il est connu que cela s'est avéré impraticable, même pour des périodes assez brèves. Seules les natures débiles se sont pliées à une intrusion poussée aussi loin dans leur liberté sexuelle, des natures plus fortes ne le font que sous une condition compensatoire dont il pourra être ultérieurement question[a]. La société de la culture s'est vue obligée de permettre tacitement beaucoup d'outrepassements que, d'après ses décrets, elle aurait dû poursuivre. On ne peut pas malgré tout verser dans l'erreur contraire et supposer qu'une telle position culturelle est absolument inoffensive parce qu'elle n'atteint pas toutes ses visées. La vie sexuelle de l'homme de la culture est pourtant gravement lésée, elle donne parfois l'impression d'une fonction en état de rétrogradation, comme semblent l'être, pour les organes, notre denture et notre chevelure. On est vraisemblablement en droit de supposer que sa significativité a sensiblement diminué comme source de sensation de bonheur, donc dans l'accomplissement de la finalité de notre vie[1]. On croit parfois reconnaître que ce n'est pas seulement la pression de la culture, mais quelque chose tenant à l'essence de la fonction elle-même qui nous refuse la pleine satisfaction et nous pousse sur d'autres voies. Ce pourrait être une erreur, il est difficile de trancher[2].

---

1. Parmi les créations littéraires de cet Anglais à l'esprit délié, J. Galsworthy, aujourd'hui reconnu de tous, j'ai apprécié de bonne heure une petite histoire intitulée « The Apple-Tree »[b]. Elle montre de manière pénétrante que dans la vie de l'homme de la culture, il n'y a actuellement plus de place pour l'amour simple et naturel de deux enfants des hommes.

2. Voici quelques remarques pour appuyer la supposition exprimée ci-dessus : l'être humain lui aussi est un animal à la prédisposition bisexuelle sans équivoque. L'individu correspond à une fusion de deux moitiés symétriques dont, selon le point de vue de bien des chercheurs, l'une est purement masculine, l'autre féminine. Il est tout aussi possible que chaque moitié ait été à l'origine hermaphrodite. La sexuation est un fait biologique qui, bien que d'une extraordinaire significativité pour la vie d'âme, est psychologiquement difficile à saisir. Nous sommes habitués à dire : chaque être humain présente des motions pulsionnelles, des besoins, des propriétés de nature tant masculine que féminine ; quant au caractère du masculin et du féminin, l'anatomie peut certes le mettre en évidence, mais pas la psychologie. Pour cette dernière, l'opposition des sexes s'estompe

a. Cf. *infra*, p. 57.
b. « Le pommier », in *Five Tales* (Cinq contes), London, William Heinemann, 1918. Cf. la traduction par René Elvin, *Sous le pommier en fleurs*, London, Heinemann & Zolnay, 1945.

## V

*amour et haine des actes*

Le travail psychanalytique nous a enseigné que ce sont précisé-    466
ment ces refusements de la vie sexuelle qui ne sont pas supportés
par ceux qu'on appelle névrosés. Ils se créent, dans leurs symptômes, des satisfactions substitutives qui, néanmoins, ou bien
créent en elles-mêmes des souffrances, ou bien deviennent source de    467

en celle de l'activité et de la passivité, ce par quoi nous faisons coïncider bien trop à la
légère l'activité avec la masculinité, la passivité avec la féminité, ce qui se confirme, mais
nullement sans exception, dans la série animale. La doctrine de la bisexualité demeure
encore dans une grande obscurité, et nous ne pouvons en psychanalyse que ressentir
comme une grave perturbation le fait qu'elle n'ait pas trouvé encore de connexion avec la
doctrine des pulsions. Quoi qu'il en soit, si nous tenons pour une donnée factuelle que l'individu veut satisfaire dans sa vie sexuelle des souhaits aussi bien masculins que féminins,
nous sommes préparés à la possibilité que ces revendications ne soient pas satisfaites par le
même objet et qu'elles se perturbent les unes les autres si on ne réussit pas à les tenir sépa-
rées les unes des autres et à diriger chaque motion sur une voie particulière, celle qui lui
convient. Une autre difficulté résulte du fait qu'à la relation érotique se trouve fréquemment ajouté, outre les composantes sadiques qui lui sont propres, un montant de penchants directs à l'agression. L'objet d'amour n'apportera pas toujours à ces complications
autant de compréhension et de tolérance que cette paysanne qui se plaint que son mari ne
l'aime plus parce que depuis une semaine il ne l'a plus rossée.

Mais la supposition allant le plus en profondeur est celle qui se rattache aux développements de la note de la p. 286, et selon laquelle, avec la verticalisation de l'être humain et
la dévalorisation du sens olfactif, c'est l'ensemble de la sexualité, et pas seulement l'érotisme anal, qui menaçait de devenir victime du refoulement organique, si bien que,
depuis, la fonction sexuelle s'accompagne d'une répugnance, dont on ne saurait donner
d'autre raison, qui l'empêche de trouver une pleine satisfaction et qui la repousse loin du
but sexuel, du côté des sublimations et des déplacements de la libido. Je sais que Bleuler
(« La résistance sexuelle » [Der Sexualwiderstand], Jahrbuch für psychoanalyt. und psy-
chopathol. Forschungen, vol. V, 1913 [442-452]) a fait une fois allusion à l'existence
d'une telle position originelle envers la vie sexuelle, position de mise à l'écart. Tous les
névrosés, et beaucoup d'autres en dehors d'eux, sont choqués par le fait du « Inter uri-
nas et faeces nascimur »[a]. Les organes génitaux produisent aussi de fortes sensations
olfactives qui sont insupportables à beaucoup d'êtres humains et leur gâchent le com-
merce sexuel. C'est ainsi que la racine la plus profonde du refoulement sexuel, qui pro-
gresse avec la culture, se trouverait être la défense organique opposée à l'existence animale
antérieure par la nouvelle forme de vie acquise avec la marche verticale — un résultat de
la recherche scientifique qui se recouvre de façon remarquable avec les préjugés banals
qui se sont souvent fait entendre. Quoi qu'il en soit, ce ne sont là actuellement que des possibilités incertaines, non corroborées par la science. N'oublions pas non plus que malgré la
dévalorisation indéniable des stimuli olfactifs, il y a, même en Europe, des peuples qui ont
en haute estime les fortes odeurs génitales, pour nous si répugnantes, comme moyens de
stimuler la sexualité, et qui ne veulent pas y renoncer. (Voir les recherches folkloriques
consécutives à l' « Enquête » d'Iwan Bloch, « Du sens olfactif dans la vita sexualis »
[Über den Geruchssinn in der vita sexualis], dans différentes années de l' « Anthropophy-
teia » de Friedrich S. Krauß.) [Cf. *OCF.P*, X, p. 216-219].

a. « Nous naissons entre les urines et les fèces. »

souffrances en réservant à ces névrosés des difficultés avec le monde environnant et la société. Ce dernier cas est aisément compréhensible, l'autre nous pose une nouvelle énigme. Mais la culture réclame encore d'autres sacrifices que celui de la satisfaction sexuelle.

Nous avons conçu les difficultés du développement de la culture comme une difficulté générale du développement, en les ramenant à l'inertie de la libido, à l'aversion de celle-ci à quitter une position ancienne pour une nouvelle. Nous disons à peu près la même chose lorsque nous faisons dériver l'opposition entre culture et sexualité du fait que l'amour sexuel est un rapport entre deux personnes, dans lequel un tiers ne peut qu'être superflu ou perturbant, tandis que la culture repose sur des relations entre un plus grand nombre d'êtres humains. A l'apogée d'un rapport amoureux, il ne subsiste plus aucun intérêt pour le monde environnant. Le couple d'amoureux se suffit à lui-même, sans avoir non plus besoin pour être heureux de l'enfant qu'ils auraient en commun. Dans aucun autre cas l'Eros ne trahit aussi nettement le noyau de son être, l'intention de faire une chose à partir de plusieurs, mais quand il a atteint cela, selon l'expression proverbiale, dans l'état amoureux unissant deux êtres humains, il ne veut pas aller au-delà.

Nous pouvons jusqu'ici très bien nous représenter qu'une communauté de culture se composerait de tels individus doubles qui, libidinalement assouvis en eux-mêmes, sont rattachés les uns aux autres par le lien de la communauté de travail et d'intérêts. Dans ce cas, la culture n'aurait pas besoin de soustraire de l'énergie à la sexualité. Mais cet état souhaitable n'existe pas et n'a jamais existé; la réalité effective nous montre que la culture ne se contente pas des liaisons qui lui ont été accordées jusqu'ici, qu'elle veut aussi lier libidinalement les uns aux autres les membres de la communauté, qu'elle se sert pour cela de tous les moyens, favorisant chaque voie pour instaurer de fortes identifications entre eux, mettant en œuvre dans la plus large mesure une libido inhibée quant au but, pour renforcer les liens de la communauté par des relations d'amitié. Pour accomplir ces desseins, la restriction de la vie sexuelle devient inévitable. Mais ce qui nous manque, c'est de comprendre quelle nécessité pousse la culture dans cette voie et fonde son opposition à la sexualité. Il ne peut s'agir que d'un facteur perturbant que nous n'avons pas encore découvert.

Une des exigences d'idéal, comme nous les nommons[a], de la société de la culture peut ici nous mettre sur la bonne piste. Elle s'énonce : Tu aimeras ton prochain comme toi-même ; elle est universellement célèbre, assurément plus ancienne que le christianisme, qui la met en avant comme la revendication dont il est le plus fier, mais certainement pas très ancienne ; en des temps historiques, elle était encore étrangère aux hommes. Adoptons envers elle une attitude naïve, comme si nous en entendions parler pour la première fois. Nous ne pouvons alors réprimer un sentiment de surprise et de déconcertement. Pourquoi devrions-nous l'aimer ? En quoi cela nous aiderait-il ? Mais avant tout, comment mettrons-nous cela en pratique ? Comment cela nous sera-t-il possible ? Mon amour est quelque chose qui m'est précieux, je n'ai pas le droit de le rejeter sans en rendre compte. Il m'impose des devoirs que je dois être prêt à remplir au prix de sacrifices. Si j'en aime un autre, il faut qu'il le mérite de quelque façon (je fais abstraction du profit qu'il peut m'apporter, ainsi que de sa significativité possible pour moi comme objet sexuel ; ces deux sortes de relations n'entrent pas en ligne de compte concernant le précepte de l'amour du prochain). Il le mérite lorsque, sur des points importants, il est si semblable à moi que je peux m'aimer moi-même en lui ; il le mérite lorsqu'il est tellement plus parfait que moi que je puis aimer en lui l'idéal que j'ai de ma propre personne ; il me faut l'aimer s'il est le fils de mon ami, car la douleur de l'ami, si une souffrance le frappe, serait aussi ma douleur, il me faudrait la partager. Mais s'il m'est étranger et ne peut m'attirer, ni par aucune valeur propre, ni par aucune significativité déjà acquise pour ma vie de sentiment, il me sera difficile de l'aimer. Et même, je commets par là une injustice, car mon amour est considéré par tous les miens comme une préférence ; je suis injuste envers eux en les mettant sur le même pied que l'étranger. Or si je dois l'aimer de cet amour universel, uniquement parce qu'il est un être de cette terre, tout comme l'insecte, le

469

a. Cf. *supra*, p. 37.

ver de terre, la couleuvre, alors, je le crains, il ne lui reviendra qu'un montant d'amour infime et qui ne saurait atteindre ce que, selon le jugement de la raison, je suis fondé à me réserver pour moi-même. A quoi bon un précepte à l'allure si solennelle, si son accomplissement ne peut se recommander de la raison?

En y regardant de plus près, je trouve encore plus de difficultés. Non seulement cet étranger n'est pas, en général, digne d'être aimé, mais, je dois le confesser honnêtement, il a davantage droit à mon hostilité, voire à ma haine. Il ne semble pas avoir le moindre amour pour moi, ne me témoigne pas le plus infime égard. Quand cela lui apporte un profit, il n'a aucun scrupule à me nuire, sans se demander non plus si le degré de son profit correspond à l'ampleur du dommage qu'il m'inflige. D'ailleurs, il n'a même pas besoin d'en tirer un profit; pour peu qu'il puisse satisfaire par là tel ou tel désir, il n'hésite pas à me railler, m'offenser, me calomnier, faire montre envers moi de sa puissance; plus il ressent d'assurance, plus je suis en désaide, plus je puis m'attendre avec assurance à ce qu'il se conduise ainsi envers moi. S'il se comporte autrement, s'il me témoigne à moi, l'étranger, égards et ménagements, je suis prêt, de toute façon, sans le fameux précepte, à lui rendre exactement la pareille. D'ailleurs, si ce commandement grandiose disait : Aime ton prochain comme ton prochain t'aime, je ne contesterais pas. Il y a un second commandement qui me semble encore plus inconcevable et déchaîne en moi une rébellion encore plus véhémente. C'est : Aime tes ennemis. Si je réfléchis bien, j'ai tort de l'écarter comme une exigence encore plus abusive. C'est au fond la même chose[1].

470    Je crois maintenant entendre une voix pleine de dignité m'exhorter : C'est justement parce que le prochain n'est pas digne

*[marginal note: Haine des étrangers]*

---

1. Un grand poète peut se permettre d'exprimer, tout au moins en plaisantant, des vérités psychologiques sévèrement prohibées. Ainsi H. Heine avoue-t-il : « J'ai les dispositions les plus pacifiques. Voici mes souhaits : une modeste cabane, un toit de chaume, mais un bon lit, une bonne nourriture, du lait et du beurre, bien frais, devant la fenêtre des fleurs, devant la porte quelques beaux arbres, et si le bon Dieu veut me rendre tout à fait heureux, il me fera connaître la joie de voir, disons six ou sept de mes ennemis pendus à ces arbres. D'un cœur ému, je leur pardonnerai avant leur mort tous les torts qu'ils m'ont infligés dans la vie — certes, il faut pardonner à ses ennemis, mais pas avant qu'ils ne soient pendus. » (Heine, *Pensées et idées incidentes*) [*Gedanken und Einfälle*, Œuvres posthumes, I, Affaires personnelles].

d'être aimé et qu'il est plutôt ton ennemi que tu dois l'aimer comme toi-même. Je comprends alors que c'est un cas semblable au *Credo quia absurdum*[a].

Or il est très vraisemblable que le prochain, lorsqu'il est invité à m'aimer comme lui-même, répondra exactement comme moi et m'écartera avec les mêmes raisons. J'espère qu'objectivement il n'aura pas le même droit de le faire, mais, lui aussi, il pensera la même chose. Toujours est-il qu'il y a dans le comportement des hommes des différences dont l'éthique se dispense de voir ce qui les conditionne, quand elle classe ceux-ci en « bons » et « mauvais ». Aussi longtemps que ces différences indéniables ne sont pas supprimées, l'observance des hautes exigences éthiques signifie un dommage infligé aux visées de la culture, du fait qu'elles donnent tout bonnement des primes à la méchanceté. On ne peut écarter ici le souvenir d'un incident qui s'est produit à la Chambre française lorsqu'il y fut débattu de la peine de mort ; un orateur était intervenu avec passion pour son abolition et récolta un tonnerre d'applaudissements lorsqu'une voix venue de la salle s'interposa en criant ces mots : « *Que messieurs les assassins commencent!* »[b]

La part de réalité effective cachée derrière tout cela et volontiers déniée, c'est que l'homme n'est pas un être doux, en besoin d'amour, qui serait tout au plus en mesure de se défendre quand il est attaqué, mais qu'au contraire il compte aussi à juste titre parmi ses aptitudes pulsionnelles une très forte part de penchant à l'agression[c]. En conséquence de quoi, le prochain n'est pas seulement pour lui un aide et un objet sexuel possibles, mais aussi une tentation, celle de satisfaire sur lui son agression, d'exploiter sans dédommagement sa force de travail, de l'utiliser sexuellement sans son

a. Cf. *OCF.P,* XVIII, p. 168.

b. Dans le dernier numéro (janvier 1849) de sa revue satirique *Les Guêpes,* Alphonse Karr, évoquant l'abolition de la peine de mort « en matière politique », écrit : « Si l'on veut abolir la peine de mort en ce cas, que M.M. les assassins commencent : qu'ils ne tuent pas, on ne les tuera pas. » Sous leur forme abrégée devenue proverbiale, ces paroles ont été reprises par Marcel Sembat et Alexandre Varenne, lors du débat parlementaire de 1908 sur l'abolition de la peine de mort, et détournées par eux dans le sens de l'abolitionnisme. Freud avait déjà cité cette phrase dans la lettre à Fließ du 6 avril 1897.

c. Dans ce texte, *Aggression,* au double sens du terme en allemand : agression et agressivité, est toujours traduit par « agression ».

471 consentement, de s'approprier ce qu'il possède, de l'humilier, de lui causer des douleurs, de le martyriser et de le tuer. *Homo homini lupus*[a] ; qui donc, d'après toutes les expériences de la vie et de l'histoire, a le courage de contester cette maxime ? Cette cruelle agression attend en règle générale une provocation ou se met au service d'une autre visée dont le but pourrait être atteint aussi par des moyens plus doux. Dans des circonstances qui lui sont favorables, lorsque sont absentes les contre-forces animiques qui d'ordinaire l'inhibent, elle se manifeste d'ailleurs spontanément, dévoilant dans l'homme la bête sauvage, à qui est étrangère l'idée de ménager sa propre espèce. Quiconque se remémore les atrocités de la migration des peuples, des invasions des Huns, de ceux qu'on appelait Mongols sous Gengis Khan et Tamerlan, de la conquête de Jérusalem par les pieux croisés, et même encore les horreurs de la dernière Guerre Mondiale, ne pourra que s'incliner humblement devant la confirmation de cette conception par les faits.

L'existence de ce penchant à l'agression que nous pouvons ressentir en nous-mêmes, et présupposons à bon droit chez l'autre, est le facteur qui perturbe notre rapport au prochain et oblige la culture à la dépense qui est la sienne. Par suite de cette hostilité primaire des hommes les uns envers les autres, la société de la culture est constamment menacée de désagrégation. L'intérêt de la communauté de travail n'assurerait pas sa cohésion, les passions pulsionnelles sont plus fortes que les intérêts rationnels. Il faut que la culture mette tout en œuvre pour assigner des limites aux pulsions d'agression des hommes, pour tenir en soumission leurs manifestations par des formations réactionnelles psychiques. De là donc la mise en œuvre de méthodes qui doivent inciter les hommes à des identifications et à des relations d'amour inhibées quant au but, de là la restriction de la vie sexuelle et de là aussi ce commandement de l'idéal : aimer le prochain comme soi-même, qui se justifie effectivement par le fait que rien d'autre ne va autant à contre-courant de la nature humaine originelle. En dépit de tous ses efforts, cette tendance de la culture n'a pas atteint grand-chose jusqu'ici. Elle

a. L'homme est un loup pour l'homme. Plaute, *Asinaria* (La comédie des ânes), II, 4, 88 : « *Lupus est homo homini, non homo...* »

espère empêcher les excès les plus grossiers de la violence brutale en 472
se donnant elle-même le droit d'user de violence envers les crimi-
nels, quant aux manifestations plus prudentes et plus subtiles de
l'agression humaine, la loi n'est pas en mesure de les prendre en
compte. Chacun de nous en vient à abandonner comme étant des
illusions les espoirs que dans sa jeunesse il avait mis dans ses semblables et peut apprendre combien la vie lui est rendue plus difficile
et douloureuse par leur malveillance. Pourtant ce serait une injustice que de reprocher à la culture de vouloir exclure des activités
humaines querelle et compétition. Celles-ci sont bien sûr indispensables, mais antagonisme n'est pas nécessairement inimitié, le premier ne faisant que servir abusivement d'occasion à la seconde.

Les communistes croient avoir trouvé la voie pour délivrer du
mal. L'homme est bon hors de toute équivoque, bien intentionné
envers son prochain, mais l'institution de la propriété privée a cor-
rompu sa nature. La possession de biens privés donne à un seul la
puissance et par là la tentation de maltraiter le prochain ; celui qui est
exclu de la possession ne peut, dans son hostilité, que se révolter
contre l'oppresseur. Si l'on supprime la propriété privée, si l'on met
en commun tous les biens et si l'on fait participer tous les hommes à
leur jouissance, la malveillance et l'hostilité disparaîtront d'entre les
hommes. Etant donné que tous les besoins sont satisfaits, nul ne sera
fondé à voir dans l'autre son ennemi ; tous se soumettront avec
empressement au travail nécessaire. La critique économique du système communiste n'est nullement mon affaire, je ne puis examiner si
l'abolition de la propriété privée est opportune et avantageuse[1]. Mais 473
je suis en mesure de reconnaître en son présupposé psychologique
une illusion sans consistance. En supprimant la propriété, on soustrait au plaisir-désir d'agression humain l'un de ses outils, assurément
un outil solide, mais assurément pas le plus solide. Pour ce qui est des

---

1. Celui qui, dans sa propre jeunesse, a goûté à la misère de la pauvreté, a connu
l'indifférence et la superbe des possédants, devrait être à l'abri du soupçon de manquer
de compréhension et de bienveillance pour les efforts déployés en vue de combattre
l'inégalité de fortune chez les hommes et ce qui en découle. A vrai dire, si ce combat
veut en appeler à l'exigence abstraite, fondée sur la justice, d'égalité de tous les
hommes, on est tenté d'objecter qu'en dotant le corps et en gratifiant l'esprit de chaque
individu de façon suprêmement inégale, la nature a instauré des injustices contre lesquelles il n'y a aucun recours.

différences de puissance et d'influence, dont l'agression fait un usage abusif dans ses visées, on n'y a rien changé, pas plus qu'à l'essence de cette agression. Elle n'a pas été créée par la propriété, elle régnait presque sans restriction dans les temps originaires, lorsque la propriété était encore une bien piètre chose ; elle se montre dès la chambre des enfants, à peine la propriété a-t-elle abandonné sa forme originaire, anale ; elle constitue le dépôt de toutes les relations tendres et amoureuses entre les hommes, peut-être à la seule exception de celle d'une mère avec son enfant mâle. Si l'on fait disparaître le droit individuel à des biens matériels[a], il reste encore le privilège venant des relations sexuelles, qui doit nécessairement devenir la source de l'envie la plus forte et de l'hostilité la plus véhémente entre les hommes, mis par ailleurs sur un pied d'égalité. Si l'on supprime aussi ce privilège en libérant totalement la vie sexuelle, si donc on élimine la famille, cellule germinale de la culture, on ne peut certes pas prévoir sur quelles voies nouvelles le développement de la culture peut s'engager, mais on peut s'attendre à une chose : ce trait indestructible de la nature humaine suivra là aussi ce développement.

Il n'est manifestement pas facile aux hommes de renoncer à satisfaire ce penchant à l'agression qui est le leur ; ils ne s'en trouvent pas bien. L'avantage d'une sphère de culture plus petite — permettre à la pulsion de trouver une issue dans les hostilités envers ceux de l'extérieur — n'est pas à dédaigner. Il est toujours possible de lier les uns aux autres dans l'amour une assez grande foule d'hommes, si seulement il en reste d'autres à qui manifester de l'agression. Je me suis une fois occupé du phénomène selon lequel, précisément, des communautés voisines, et proches aussi les unes des autres par ailleurs, se combattent et se raillent réciproquement, tels les Espagnols et les Portugais, les Allemands du Nord et ceux du Sud, les Anglais et les Écossais, etc. J'ai donné à ce phénomène le nom de « narcissisme des petites différences[b] », qui ne contribue pas beaucoup à l'expliquer. Maintenant, on reconnaît là une satisfaction commode et relativement anodine du penchant à l'agression par lequel la cohésion de la

---

a. *dingliche Güter :* au sens juridique de « qui concerne les choses ».
b. Cf. *Massenpsychologie und Ich-Analyse* (Psychologie des masses et analyse du moi), *GW*, XIII, p. 111 ; *OCF.P*, XVI, p. 40, et *Das Tabu der Virginität* (Le tabou de la virginité), *GW*, XII, p. 169 ; *OCF.P*, XV.

communauté est plus facilement assurée à ses membres. Le peuple des juifs, dispersé dans toutes les directions, a de cette façon grandement mérité des cultures de ses peuples d'accueil ; mais hélas ! tous les massacres de juifs au Moyen Age n'ont pas suffi à rendre cette époque plus pacifique et plus sûre pour les chrétiens contemporains. Après que l'apôtre Paul eut fait de l'universel amour des hommes le fondement de sa communauté chrétienne, l'extrême intolérance du christianisme envers ceux qui étaient restés au dehors en avait été une conséquence inévitable ; aux Romains, qui n'avaient pas fondé sur l'amour la vie publique au sein de leur Etat, l'intolérance religieuse était restée étrangère, bien que chez eux la religion fût affaire d'Etat et que l'Etat fût imprégné de religion. Ce ne fut pas non plus un hasard incompréhensible si le rêve d'une domination germanique sur le monde appela comme son complément l'antisémitisme, et il est concevable, on le reconnaît, que la tentative d'édifier en Russie une nouvelle culture communiste trouve son support psychologique dans la persécution des bourgeois. On se demande seulement avec inquiétude ce que les Soviets entreprendront une fois qu'ils auront exterminé leurs bourgeois.

Si la culture impose d'aussi grands sacrifices, non seulement à la sexualité mais aussi au penchant de l'homme à l'agression, nous comprenons mieux qu'il soit difficile à l'homme de s'y trouver heureux. En fait, l'homme originaire était en cela mieux partagé, étant donné qu'il ne connaissait pas de restrictions pulsionnelles. En revanche, sa certitude de jouir longtemps d'un tel bonheur était des plus minces. L'homme de la culture a fait l'échange d'une part de possibilité de bonheur contre une part de sécurité. N'oublions pas toutefois que dans la famille originaire seul le chef suprême bénéficiait de cette liberté pulsionnelle ; les autres vivaient en esclaves dans l'oppression. L'opposition entre une minorité jouissant des avantages de la culture et une majorité dépouillée de ces avantages était donc, dans ce temps originaire de la culture, poussée à l'extrême. Sur le primitif vivant de nos jours nous avons appris, par une enquête plus attentive, que sa vie pulsionnelle ne peut nullement être enviée pour sa liberté ; elle est soumise à des restrictions d'une autre espèce, mais peut-être d'une plus grande rigueur que ne l'est celle de l'homme de la culture aux temps modernes.

*améliore/acttre*    Si, à notre actuel état de la culture, nous objectons à bon droit
l'insuffisance avec laquelle il satisfait nos exigences d'une régulation
de la vie propre à nous rendre heureux, objectant aussi la quantité de
souffrance qu'il permet et qui serait vraisemblablement évitable ; si
nous nous efforçons de mettre à découvert par une critique sans
ménagement les racines de son imperfection, nous exerçons assurément notre bon droit et nous ne nous montrons pas ennemis de la
culture. Nous pouvons espérer imposer peu à peu des modifications
de notre culture qui assurent mieux la satisfaction de nos besoins et
qui échappent à cette critique. Mais peut-être nous familiarisons-
nous aussi avec l'idée qu'il y a des difficultés qui sont inhérentes à l'essence de la culture et qui ne céderont à aucune tentative de réforme.
Outre les tâches de la restriction pulsionnelle, auxquelles nous
sommes préparés, s'impose à nous le danger d'un état que l'on peut
nommer « la misère psychologique de la masse[a] ». Ce danger est le
*inhérentes de la culture*    plus menaçant là où la liaison sociale s'instaure principalement par
l'identification des participants entre eux, alors que des individuali-
tés de meneurs n'acquièrent pas la significativité qui devrait leur
revenir dans la formation de la masse[1]. L'état actuel de la culture en
Amérique fournirait une bonne occasion d'étudier ce dommage
culturel redouté. Mais j'évite la tentation de m'engager dans une critique de la culture de l'Amérique ; je ne veux pas susciter l'impression
de vouloir me servir moi-même de méthodes américaines.


## VI

*Admission de la pulsion de mort*

476    Dans aucun travail je n'ai eu aussi fortement que cette fois-ci le
sentiment de présenter quelque chose de généralement connu, de
consommer du papier et de l'encre, par la suite de mobiliser le travail du typographe et l'encre de l'imprimeur, pour raconter des

---

1. Voir : Psychologie des masses et analyse du moi [*Massenpsychologie und Ich-Analyse, GW*, XIII ; *OCF.P*, XVI], 1921.

a. Selon Strachey, l'expression de Freud, « *psychologisches Elend* », serait la traduction de la « misère psychologique » de Pierre Janet.

*pulsion de moi et personn libidinale* (handwritten)

choses allant à vrai dire de soi. C'est pourquoi je ne laisserai pas échapper l'occasion, s'il peut sembler que reconnaître une pulsion d'agression particulière et autonome signifie une modification de la doctrine psychanalytique des pulsions.

Il s'avérera qu'il n'en va pas ainsi, qu'il s'agit seulement de comprendre plus rigoureusement un tournant qui a été effectué depuis longtemps, et de s'attacher à ses conséquences. De tous les éléments de la théorie analytique lentement développés, c'est la doctrine des pulsions qui, dans ses tâtonnements, a le plus laborieusement avancé. Et elle était cependant si indispensable à l'ensemble qu'il a bien fallu mettre quelque chose à sa place. Dans le plein désarroi des débuts, je trouvai mon premier point d'appui dans la maxime du philosophe-poète S c h i l l e r, selon laquelle « faim et amour » assurent la cohésion des rouages du monde[a]. La faim pouvait être considérée comme représentant de ces pulsions qui veulent conserver l'être individuel, l'amour, lui, tend vers des objets; sa fonction principale, favorisée de toutes les manières par la nature, est la conservation de l'espèce. C'est ainsi que s'affrontèrent tout d'abord les unes aux autres pulsions du moi et pulsions d'objet. Pour l'énergie de ces dernières, et exclusivement pour elle, j'introduisis le nom de libido; c'est ainsi que s'établit l'opposition entre les pulsions du moi et les pulsions « libidinales », orientées sur l'objet, celles de l'amour au sens le plus large. L'une de ces pulsions d'objet, la pulsion sadique, se distinguait, il est vrai, du fait que son but n'était pas du tout empreint d'amour; de plus, elle se rattachait manifestement, en bien des points, aux pulsions du moi, ne pouvant dissimuler sa proche parenté avec les pulsions d'emprise sans visée libidinale, mais on passa par-dessus cette discordance; le sadisme pourtant appartenait manifestement à la vie sexuelle, le jeu de la cruauté pouvait remplacer celui de la tendresse. La névrose apparaissait comme l'issue d'un combat entre l'intérêt de l'autopréservation et les exigences de la libido, combat dans lequel le moi avait vaincu, mais au prix de dures souffrances et renoncements.

477

Tout analyste accordera qu'aujourd'hui encore cela ne res-

a. Cf. *OCF.P*, XVIII, p. 22, n. a.

semble pas à une erreur surmontée depuis longtemps. Cependant une modification devint indispensable lorsque notre recherche progressa du refoulé au refoulant, des pulsions d'objet au moi. C'est ici que devint décisive l'introduction du concept de narcissisme, c.-à-d. la compréhension du fait que le moi lui-même est investi de libido, qu'il en est même le berceau originel et qu'il en reste aussi en quelque sorte le quartier général. Cette libido narcissique se tourne vers les objets, devenant ainsi libido d'objet, et peut se retransformer en libido narcissique. Le concept de narcissisme permit de saisir analytiquement la névrose traumatique, ainsi que beaucoup d'affections proches des psychoses et ces psychoses elles-mêmes. L'interprétation des névroses de transfert comme tentatives du moi pour se défendre contre la sexualité n'avait pas à être abandonnée, mais le concept de libido se trouva en danger. Etant donné que les pulsions du moi, elles aussi, étaient libidinales, il parut un instant inévitable de faire coïncider en général libido avec énergie pulsionnelle, comme l'avait déjà voulu précédemment C. G. Jung[a]. Pourtant, il restait un reliquat, comme une certitude encore impossible à fonder, à savoir que les pulsions ne peuvent pas être toutes de la même espèce. Le pas suivant, je le fis dans « Au-delà du principe de plaisir »[b] (1920), lorsque la contrainte de répétition et le caractère conservateur de la vie pulsionnelle me frappèrent pour la première fois. Partant de spéculations sur le début de la vie et de parallèles biologiques, je tirai la conclusion qu'il fallait qu'il y eût, en dehors de la pulsion à conserver la substance vivante, à la rassembler en unités de plus en plus grandes[1], une autre pulsion, opposée à elle, qui tende à dissoudre ces unités et à les ramener à l'état anorganique des primes origines. Qu'il y eût donc en dehors de l'Eros une pulsion de mort ; l'action conjuguée et antagoniste des deux permettait d'expliquer les phénomènes de la vie. Or il n'était pas

---

1. L'opposition qui apparaît ici entre l'inlassable tendance expansive de l'Eros et la nature en général conservatrice des pulsions est frappante et peut devenir le point de départ de nouvelles interrogations.

a. 1875-1961.
b. *Jenseits des Lustprinzips*, GW, XIII ; OCF.P, XV.

facile de mettre en évidence l'activité de cette pulsion de mort
dont on faisait l'hypothèse. Les manifestations de l'Eros étaient
suffisamment frappantes et bruyantes ; on pouvait faire l'hypothèse que la pulsion de mort travaillait silencieusement, à l'intérieur de l'être vivant, à la dissolution de celui-ci, mais ce n'était
naturellement pas là une preuve. Ce qui mena plus loin, c'est
l'idée qu'une part de la pulsion se tourne contre le monde extérieur et se fait jour alors comme pulsion à l'agression et à la destruction. La pulsion serait ainsi elle-même contrainte de se mettre
au service de l'Eros, du fait que l'être vivant anéantirait quelque
chose d'autre, animé ou non animé, au lieu de son propre soi. A
l'inverse, le fait que soit restreinte cette agression vers l'extérieur
ne pourrait qu'intensifier l'autodestruction qui, de toute manière,
est toujours à l'œuvre. Dans le même temps, on pouvait deviner
par cet exemple que les deux espèces de pulsions apparaissent
rarement — peut-être jamais — isolées l'une de l'autre, qu'au
contraire elles s'allient l'une avec l'autre selon des mélanges divers
aux proportions très variables et se rendent ainsi méconnaissables
à notre jugement. Dans le sadisme, connu depuis longtemps
comme pulsion partielle de la sexualité, on serait en présence d'un
de ces alliages, particulièrement fort, celui de la tendance
d'amour avec la pulsion de destruction, de même que dans sa
contrepartie, le masochisme, on serait en présence d'une liaison
de la destruction, orientée vers l'intérieur, avec la sexualité, liaison par laquelle la tendance qui sans cela n'est pas perceptible
devient justement frappante et tangible.

L'hypothèse de la pulsion de mort ou de destruction a rencontré de la résistance même dans les milieux analytiques ; je sais
combien est répandu le penchant à attribuer de préférence tout
ce qui dans l'amour est trouvé dangereux et hostile à une bipola-
rité originelle de son être propre. Je n'avais au début soutenu
qu'à titre d'essai[a] les conceptions développées ici, mais au cours
du temps elles ont acquis sur moi un tel pouvoir que je ne puis
plus penser autrement. J'estime qu'elles sont, du point de vue
théorique, incomparablement plus utilisables que n'importe

479

a. Les trois derniers paragraphes du chapitre VI de *Au-delà du principe de plaisir*.

quelles autres ; elles instaurent cette simplification qui ne néglige ni ne viole les faits, à laquelle nous aspirons dans le travail scientifique. Je reconnais que nous avons toujours eu sous les yeux dans le sadisme et le masochisme les manifestations, fortement alliées avec de l'érotisme, de la pulsion de destruction orientée vers l'extérieur et vers l'intérieur, mais je ne comprends plus que nous ayons pu omettre de voir l'ubiquité de l'agression et de la destruction non érotiques et négliger de lui accorder la place qui lui revient dans l'interprétation de la vie. (Quant à la soif de destruction tournée vers l'intérieur, elle se dérobe la plupart du temps à la perception, lorsqu'elle n'est pas teintée d'érotisme.) Je me souviens de ma propre défense lorsque l'idée de la pulsion de destruction émergea pour la première fois dans la littérature psychanalytique[a] et combien de temps il me fallut pour y être réceptif. Que d'autres aient eu la même attitude de récusation et l'aient encore, cela m'étonne moins, car ces pauvres petits[b], ils n'aiment pas entendre mentionner le penchant inné de l'homme au « mal », à l'agression, à la destruction et par là aussi à la cruauté. Dieu les a en effet créés à l'image de sa propre perfection, on ne veut pas s'entendre rappeler combien il est difficile — malgré les affirmations de la Christian Science[c] — de mettre en accord l'existence indéniable du mal avec Sa toute-puissance ou Sa toute-bonté. Le diable serait le meilleur expédient pour excuser Dieu, il assumerait là le même rôle de délestage économique que le juif dans le monde de l'idéal aryen. Mais même alors : on peut cependant tout aussi bien demander compte à Dieu de l'existence du diable que de celle du mal qu'il incarne. Vu ces difficultés, chacun de nous sera bien avisé de faire, là où il convient, une profonde révérence devant la nature profondément

a. Cf. l'article de Sabina Spielrein, *Die Destruktion als Ursache des Werdens* (La destruction comme cause du devenir), *Jb. psychoanal. psychopath. Forsch.*, 1912, *4*, 465-503.

b. « *Die Kindlein, sie hören es nicht gerne.* » Allusion au refrain d'un poème de Goethe (Ballade, 1813), dont neuf strophes se terminent par « *Die Kinder, sie hören es gerne* » (les enfants aiment entendre cela), deux par « *Die Kinder, sie hören's nicht gerne* » (les enfants n'aiment pas entendre cela).

c. Cf. *OCF.P*, XVIII, p. 63, n. a.

morale de l'homme ; cela nous aide à gagner la faveur générale et | 480
on nous passera pour cela bien des choses[1].

Quant au nom de libido, il peut de nouveau être utilisé pour les
manifestations de force de l'Eros afin de les départager de l'énergie
de la pulsion de mort[2]. Il faut avouer que nous saisissons cette pulsion d'autant plus difficilement que d'une certaine manière nous ne
la devinons derrière l'Eros que comme un reliquat, et qu'elle se
dérobe à nous là où elle n'est pas trahie par son alliage avec l'Eros.
C'est dans le sadisme, où elle infléchit dans son sens le but érotique,
tout en satisfaisant pleinement la tendance sexuelle, que nous réus-
sissons à comprendre le plus clairement son essence et sa relation à
l'Eros. Mais même là où elle survient sans visée sexuelle, y compris
dans la rage de destruction la plus aveugle, on ne peut méconnaître
que sa satisfaction est connectée à une jouissance narcissique extra-

---

1. L'identification du principe du mal avec la pulsion de destruction a un effet particulièrement convaincant dans le Méphistophélès de G o e t h e :

> « Car tout ce qui prend naissance
> Mérite de périr.
> . . . . . . . . . . . . . . . .
> Ainsi donc, tout ce que vous nommez
> Péché, destruction, bref le mal,
> Est mon propre élément. »[a]

Ce que le diable lui-même nomme son adversaire, ce n'est pas le sacré, le bon, mais
la force de procréation de la nature, sa force de multiplication de la vie, ainsi donc
l'Eros.

> . . . . . . . . . . . . . . . .
> « De l'eau, de l'air, comme de la terre
> Se dégagent des milliers de germes,
> Dans le sec, l'humide, le chaud, le froid !
> Si je ne m'étais réservé la flamme,
> Je n'aurais rien qui n'appartînt qu'à moi. »[b]

2. On peut en gros exprimer notre présente conception dans cette proposition : à
chaque manifestation pulsionnelle participe de la libido, mais en elle tout n'est pas
libido.

a.  « *Denn alles, was entsteht,*
    *Ist wert, daß es zu Grunde geht...*
    *So ist denn alles, was Ihr Sünde,*
    *Zerstörung, kurz das Böse nennt,*
    *Mein eigentliches Element.* » (v. 1339-1344)

b.  « *Der Luft, dem Wasser, wie der Erden,*
    *Entwinden tausend Keime sich,*
    *Im Trocknen, Feuchten, Warmen, Kalten !*
    *Hätt' ich mir nicht die Flamme vorbehalten,*
    *Ich hätte nichts Aparts für mich.* » (v. 1374-1378)

ordinairement élevée, du fait qu'elle fait voir au moi ses anciens souhaits de toute-puissance accomplis. Modérée et domptée, en quelque sorte inhibée quant au but, la pulsion de destruction orientée sur les objets doit procurer au moi la satisfaction de ses besoins vitaux et la domination sur la nature. Comme l'hypothèse de cette pulsion repose essentiellement sur des raisons théoriques, on doit concéder qu'elle n'est pas pleinement à l'abri d'objections théoriques. Mais c'est ainsi que les choses nous apparaissent précisément aujourd'hui, en l'état actuel de nos vues; la recherche et la réflexion futures apporteront à coup sûr la clarté décisive.

Pour tout ce qui va suivre, j'adopterai donc le point de vue selon lequel le penchant à l'agression est une prédisposition pulsionnelle originelle et autonome de l'homme, et je reviendrai[a] à l'idée que la culture trouve en elle son obstacle le plus fort. A tel moment au cours de cette investigation[b] a pu s'imposer cette vue que la culture est un procès particulier se déroulant à l'échelle de l'humanité, et nous restons toujours sous l'empire de cette idée. Nous ajouterons qu'elle est un procès au service de l'Eros, procès qui veut regrouper des individus humains isolés, plus tard des familles, puis des tribus, des peuples, des nations, en une grande unité, l'humanité. Pourquoi faut-il que cela arrive, nous ne le savons pas. Disons que c'est précisément l'œuvre de l'Eros. Ces foules humaines doivent être liées libidinalement les unes aux autres; la seule nécessité, les avantages d'une communauté de travail, n'assureront pas leur cohésion. Mais à ce programme de la culture s'oppose la pulsion d'agression naturelle des hommes, l'hostilité d'un seul contre tous et de tous contre un seul. Cette pulsion d'agression est le rejeton et le représentant principal de la pulsion de mort que nous avons trouvée à côté de l'Eros, se partageant avec lui la domination du monde. Et voilà que, selon moi, le sens du développement de la culture n'a plus pour nous d'obscurité. Ce développement ne peut que nous montrer le combat entre Eros et mort, pulsion de vie et pulsion de destruction, tel qu'il se déroule au niveau de l'espèce humaine. Ce combat est le contenu essentiel

a. Cf. *supra,* p. 54.
b. Cf. *supra,* p. 39-40.

de la vie en général et c'est pourquoi le développement de la culture doit être, sans plus de détours, qualifié de combat vital de l'espèce humaine[1]. Et c'est cette dispute de géants que nos bonnes d'enfant veulent apaiser avec le « dodo l'enfant do venu du ciel »[a] !

## VII

Pourquoi ces êtres qui nous sont apparentés, les animaux, n'offrent-ils pas le spectacle d'un tel combat pour la culture ? Hélas ! nous ne le savons pas. Quelques-uns d'entre eux, les abeilles, les fourmis, les termites, ont très vraisemblablement lutté pendant des millénaires jusqu'à ce qu'ils aient trouvé ces institutions étatiques, cette répartition des fonctions, cette restriction des individualités que nous admirons aujourd'hui chez eux. Il est caractéristique de notre état présent que, à écouter notre sens intime, nous ne nous

482

---

1. Vraisemblablement, pour être plus précis : tel qu'il a dû prendre forme à partir d'un certain événement qui reste encore à deviner.

a. *mit dem « Eiapopeia vom Himmel »*. Référence à Heinrich Heine (1797-1856), *Deutschland, ein Wintermärchen* (L'Allemagne, un conte d'hiver), livre I, strophes 6 et 7. Dans ce journal lyrique et satirique d'un voyage qu'il fit en Allemagne à l'automne de 1843, le poète évoque le chant d'une jeune joueuse de harpe.

> « *Sie sang vom irdischen Jammerthal,*
> *Von Freuden, die bald zerronnen,*
> *Vom Jenseits, wo die Seele schwelgt,*
> *Verklärt in ew'gen Wonnen.*
>
> *Sie sang das alte Entsagungslied,*
> *Das Eiapopeia vom Himmel,*
> *Womit man einlullt, wenn es greint,*
> *Das Volk, den großen Lümmel.* »

> « Elle chantait la terrestre vallée de larmes,
> Les joies qui s'évanouissent dans l'instant,
> L'au-delà où l'âme transfigurée
> S'épanouit en d'éternelles délices.
>
> Elle chantait le vieux chant du renoncement,
> Le dodo l'enfant do venu du ciel,
> Avec lequel, quand il pleurniche,
> On endort le peuple, ce gros lourdaud. »

estimerions heureux dans aucun de ces Etats animaux et dans aucun des rôles impartis chez eux à l'individu. Chez d'autres espèces animales, il se peut qu'on soit arrivé à un équilibre temporaire entre les influences du monde environnant et les pulsions se combattant dans ces espèces, et de ce fait à un arrêt du développement. Chez l'homme originaire, il se peut qu'une nouvelle avancée de la libido ait attisé une rébellion renouvelée de la pulsion de destruction. Que de questions se posent ici, pour lesquelles il n'y a pas encore de réponse!

Une autre question nous touche de plus près. De quels moyens la culture se sert-elle pour inhiber, rendre inoffensive, peut-être mettre hors circuit, l'agression qui s'oppose à elle? Nous avons déjà appris à connaître quelques-unes de ces méthodes, mais pas encore celle qui apparemment est la plus importante. Nous pouvons l'étudier sur l'histoire de développement de l'individu. Que se passe-t-il chez lui pour rendre inoffensif son plaisir-désir d'agression? Quelque chose de très remarquable, que nous n'aurions pas deviné et qui cependant est à portée de la main. L'agression est introjectée, intériorisée, mais à vrai dire renvoyée là d'où elle est venue, donc retournée sur le moi propre. Là, elle est prise en charge par une partie du moi qui s'oppose au reste du moi comme sur-moi, et qui, comme conscience morale[a], exerce alors contre le moi cette même sévère propension à l'agression que le moi aurait volontiers satisfaite sur d'autres individus, étrangers. La tension entre le sur-moi sévère et le moi qui lui est soumis, nous l'appelons conscience de culpabilité[b]; elle se manifeste comme besoin de punition. La culture maîtrise donc le dangereux plaisir-désir d'agression de l'individu en affaiblissant ce dernier, en le désarmant et en le faisant surveiller par une instance située à l'intérieur de lui-même, comme par une garnison occupant une ville conquise.

Sur l'apparition du sentiment de culpabilité, l'analyste pense autrement que ne font d'ordinaire les psychologues; pour lui non plus, il ne sera pas aisé d'en rendre compte. Tout d'abord, si l'on demande comment quelqu'un en vient à avoir un sentiment de

a. *Gewissen.*
b. *Schuldbewußtsein.*

culpabilité, on reçoit une réponse qu'on ne peut contredire : on se sent coupable (les gens pieux disent : pécheur) quand on a fait quelque chose que l'on reconnaît être « mal ». Puis on remarque que cette réponse n'apporte pas grand-chose. Peut-être ajoutera-t-on après quelque hésitation : même celui qui n'a pas fait ce mal, mais reconnaît chez lui la simple intention de le faire, peut se tenir pour coupable, et alors on soulèvera la question de savoir pourquoi l'intention est ici considérée comme équivalente à l'exécution. Mais les deux cas présupposent que l'on a déjà reconnu le mal comme étant à rejeter, à exclure de l'exécution. Comment en vient-on à cette décision ? On est en droit de récuser une capacité de différenciation originelle, pour ainsi dire naturelle, concernant le bien et le mal. Souvent le mal n'est pas du tout ce qui est pour le moi le nuisible ou le dangereux, au contraire il est même quelque chose qui est par lui souhaité, qui lui procure du contentement. Ici se manifeste donc une influence étrangère ; c'est elle qui détermine ce qui doit s'appeler bien et mal. Etant donné que son propre sentiment n'aurait pas conduit l'homme sur la même voie, il faut qu'il ait un motif pour se soumettre à cette influence étrangère ; ce motif est facile à découvrir dans son désaide et sa dépendance par rapport aux autres et on ne saurait mieux le désigner que comme angoisse devant la perte d'amour. S'il perd l'amour de l'autre, dont il est dépendant, il vient aussi à manquer de la protection contre toutes sortes de dangers, s'exposant avant tout au danger de voir cet autre surpuissant lui démontrer sa supériorité sous forme de punition. Le mal est donc au début ce pour quoi on est menacé de perte d'amour ; c'est par angoisse devant cette perte qu'il faut éviter le mal. Ainsi donc il importe peu que l'on ait déjà fait le mal ou qu'on veuille seulement le faire ; dans les deux cas, le danger ne survient que lorsque l'autorité découvre la chose et dans les deux cas elle se comporterait de la même façon.

On appelle cet état « mauvaise conscience », mais à vrai dire il ne mérite pas ce nom, car à ce stade la conscience de culpabilité n'est manifestement qu'angoisse devant la perte d'amour, angoisse « sociale ». Chez le petit enfant elle ne peut jamais être quelque chose d'autre, mais même chez beaucoup d'adultes le changement se limite à ceci que la communauté plus vaste des hommes vient en

lieu et place du père ou des deux parents. Aussi se permettent-ils
régulièrement de commettre le mal qui leur promet des agréments,
pour peu qu'ils soient sûrs que l'autorité n'en apprendra rien ou ne
pourra rien leur faire, et ils n'ont d'angoisse que celle d'être décou-
verts[1]. C'est avec cet état que la société contemporaine doit généralement compter.

Un grand changement n'intervient que lorsque l'autorité est
intériorisée par l'érection d'un sur-moi. Par là, les phénomènes de
conscience morale sont haussés à un nouveau stade ; au fond, c'est
seulement maintenant qu'on devrait parler de conscience morale
et de sentiment de culpabilité[2]. Dès lors disparaît l'angoisse d'être
découvert et, qui plus est, la différence entre faire le mal et vouloir le mal, car rien ne peut se cacher du sur-moi, pas même les
pensées. Le sérieux de la situation dans le réel est à vrai dire
passé, car la nouvelle autorité, le sur-moi, n'a, à ce que nous
croyons, aucun motif de maltraiter le moi, auquel le lie une
intime appartenance. Mais l'influence de la genèse, influence qui
permet à ce qui est passé et surmonté de continuer à vivre, se
manifeste en ceci que ces choses sont restées au fond telles qu'elles
étaient au début. Le sur-moi tourmente le moi pécheur avec les
mêmes sensations d'angoisse et guette les occasions de le faire
punir par le monde extérieur.

A ce second stade de développement, la conscience morale présente une particularité qui était étrangère au premier et qui n'est
plus facile à expliquer. Elle se comporte en effet avec d'autant plus
de sévérité et de méfiance que l'homme est plus vertueux, si bien
qu'à la fin ce sont justement ceux qui sont allés le plus loin dans la
sainteté qui s'accusent de l'état de péché le plus grave. La vertu y
perd une part de la récompense qui lui est promise, le moi docile et
abstinent ne jouit pas de la confiance de son mentor, tout en s'effor-

----

1. Que l'on pense au célèbre mandarin de Rousseau. [Cf. *Zeitgemäßes über
Krieg und Tod* (Actuelles sur la guerre et la mort), *GW*, X ; *OCF.P*, XIII, 2ᵉ éd.,
p. 155 n. a.]
2. Que dans cette présentation d'ensemble soit rigoureusement séparé ce qui en
réalité s'effectue dans un flux de transitions, qu'il ne s'agisse pas seulement de l'existence
d'un sur-moi, mais de sa force relative et de sa sphère d'influence, toute personne aver-
tie le comprendra et en tiendra compte. Tout ce qui a été dit jusqu'à présent sur la
conscience morale et la culpabilité est en effet généralement connu et à peu près incon-
testé.

çant, en vain semble-t-il, de l'acquérir. C'est alors qu'on sera prêt à objecter : voilà des difficultés fabriquées artificiellement. Une conscience morale plus sévère et plus vigilante serait justement le trait qui caractérise l'homme moral, et si les saints se donnent pour pécheurs, ils ne le feraient pas à tort, compte tenu des tentations de satisfaction pulsionnelle auxquelles ils sont exposés dans une mesure particulièrement grande, étant donné que les tentations, on le sait, ne font que croître par suite d'un refusement continuel, tandis qu'elles se relâchent, du moins temporairement, en cas de satisfaction occasionnelle. Un autre fait du domaine de l'éthique, si riche en problèmes, est que le destin contraire, donc le refusement externe, encourage considérablement le pouvoir de la conscience morale dans le sur-moi. Tant que tout se passe bien pour l'homme, sa conscience morale, elle aussi, est clémente et passe au moi toutes sortes de choses ; quand un malheur l'a frappé, il fait retour sur lui-même, reconnaît son état de péché, accroît les revendications de sa conscience morale, s'impose des abstinences et se punit par des pénitences[1]. Des peuples entiers se sont comportés de même et continuent à se comporter ainsi. Mais cela s'explique aisément à partir du stade infantile originel de la conscience morale, lequel donc n'est pas abandonné après l'introjection dans le sur-moi, mais

486

---

1. C'est de cet encouragement donné à la morale par le destin contraire que traite M a r k   T w a i n dans une savoureuse petite histoire : *The first melon I ever stole*[a]. Il se trouve que ce premier melon n'est pas mûr. J'ai entendu Mark Twain lui-même raconter en public cette petite histoire[b]. Après avoir prononcé son titre, il fit une pause et se demanda, comme s'il avait un doute : « *Was is the first ?*[c] ». C'était tout dire. Ce premier melon n'avait donc pas été le seul[d].

a. Le premier melon que j'aie volé.
b. Dans une lettre à Flieβ du 9 février 1898, Freud rapporte qu'il a assisté quelques jours auparavant à une conférence de Mark Twain.
c. Etait-ce le premier ?
d. Phrase ajoutée par Freud en 1931.
Ce souvenir de Mark Twain, remontant à sa 13ᵉ ou 14ᵉ année, réapparaît, sous une forme peu différente, dans un article du *New York Times* (12 mai 1907) intitulé « Mighty Mark Twain overawes Marines » (« Le grand Mark Twain intimide les fusiliers marins ») : « I remember it as if it were yesterday, the first time I ever stole a watermelon. Yes, the first time. At least I think it was the first time, or along about there. » (« Je m'en souviens comme si c'était hier, la première fois que j'ai volé une pastèque. Oui, la première fois. Du moins, je crois que c'était la première fois, ou à quelque chose près. ») Cet article a été republié par Charles Neider dans son livre *Mark Twain : The Life as I find it* (Mark Twain : La vie comme je la vois), New York, Hanover House, Garden City, 1961.

continue d'exister parallèlement et postérieurement à elle. Le destin est considéré comme substitut de l'instance parentale ; quand on connaît le malheur, cela signifie qu'on n'est plus aimé par cette puissance suprême et que, menacé par cette perte d'amour, on s'incline de nouveau devant la représentance parentale dans le sur-moi, elle que dans le bonheur on prétendait négliger. Cela devient particulièrement net quand, en un sens strictement religieux, on ne reconnaît dans le destin que l'expression de la volonté divine. Le peuple d'Israël s'était pris pour l'enfant préféré de Dieu et quand le Père, dans sa grandeur, fit fondre malheur après malheur sur ce peuple qui était le sien, celui-ci ne fut pourtant pas désorienté dans cette relation, ni ne douta de la puissance et de la justice de Dieu, mais il engendra les prophètes qui lui reprochèrent son état de péché et créa à partir de sa conscience de culpabilité les préceptes extrêmement sévères de sa religion de prêtres. Quelle remarquable différence avec le comportement du primitif! Quand il a connu le malheur, il n'en attribue pas la faute[a] à lui-même, mais au fétiche qui manifestement n'a pas fait son devoir[b] et il le roue de coups au lieu de se punir lui-même.

Nous connaissons donc deux origines au sentiment de culpabilité, celle tirée de l'angoisse devant l'autorité et celle, ultérieure, tirée de l'angoisse devant le sur-moi. Le premier sentiment de culpabilité contraint à renoncer aux satisfactions pulsionnelles, l'autre pousse en outre à la punition, étant donné qu'on ne peut cacher au sur-moi la persistance des souhaits interdits. Nous avons vu aussi comment on peut comprendre la sévérité du sur-moi, donc l'exigence de la conscience morale. Elle prolonge simplement la sévérité de l'autorité externe qui est par elle relayée et en partie remplacée. Nous voyons maintenant dans quelle relation à la conscience de culpabilité se trouve le renoncement pulsionnel. A l'origine, le renoncement pulsionnel est en effet la conséquence de l'angoisse devant l'autorité externe ; on renonce aux satisfactions pour ne pas perdre son amour. Si l'on a accompli ce renoncement, on est pour ainsi dire quitte envers elle ; il ne devrait subsister

a. *Schuld.*
b. *Schuldigkeit.*

aucun sentiment de culpabilité. Il en va autrement dans le cas de l'angoisse devant le sur-moi. Ici le renoncement pulsionnel n'est pas un recours suffisant, car le souhait persiste et ne se laisse pas dissimuler au sur-moi. Malgré le renoncement effectué, un sentiment de culpabilité surviendra donc et c'est là un grand inconvénient économique de l'instauration du sur-moi, autrement dit de la formation de la conscience morale. Le renoncement pulsionnel n'a plus alors d'effet pleinement libératoire, l'abstinence vertueuse n'est plus récompensée par la garantie de l'amour; contre un malheur externe menaçant — perte d'amour et punition de la part de l'autorité externe — on a échangé un malheur interne perdurant, la tension de la conscience de culpabilité.

Ces rapports sont tellement intriqués et en même temps tellement importants que j'aimerais, malgré les dangers de la répétition, les aborder par un autre côté encore. La succession dans le temps serait donc la suivante : tout d'abord renoncement pulsionnel consécutif à l'angoisse devant l'agression de l'autorité externe — c'est à cela qu'aboutit en effet l'angoisse devant la perte d'amour, l'amour protègeant contre cette agression de la punition —, puis érection de l'autorité interne, renoncement pulsionnel consécutif à l'angoisse devant elle, angoisse de conscience morale. Dans le second cas, équivalence de l'acte mauvais et de l'intention mauvaise, d'où conscience de culpabilité, besoin de punition. L'agression de la conscience morale conserve l'agression de l'autorité. Jusqu'ici les choses se sont certes clarifiées, mais où y a-t-il encore place pour le renforcement de la conscience morale sous l'influence du malheur (du renoncement imposé de l'extérieur), pour la sévérité extraordinaire de la conscience morale chez les meilleurs et les plus dociles? Nous avons déjà expliqué les deux particularités de la conscience morale, mais nous avons vraisemblablement gardé l'impression que ces explications ne vont pas jusqu'au fond des choses, qu'elles laissent un reste inexpliqué. Et là intervient enfin une idée qui est tout à fait propre à la psychanalyse et étrangère au mode de pensée habituel des hommes. Elle est de nature à nous faire comprendre pourquoi ce sujet devait nécessairement apparaître si confus et opaque. Elle dit en effet : Au début la conscience morale (plus exactement, l'angoisse qui devient plus tard conscience morale) est certes cause du renoncement

488

pulsionnel, mais plus tard le rapport s'inverse. Tout renoncement pulsionnel devient alors une source dynamique de la conscience morale, tout nouveau renoncement en accroît la sévérité et l'intolérance, et si seulement nous pouvions mieux mettre cela en accord avec la genèse de la conscience morale, telle que nous la connaissons, nous serions tentés de professer cette thèse paradoxale : la conscience morale est la conséquence du renoncement pulsionnel ; ou : le renoncement pulsionnel qui nous est imposé de l'extérieur crée la conscience morale, laquelle exige ensuite un nouveau renoncement pulsionnel.

À vrai dire, la contradiction de cette thèse avec la genèse de la conscience morale déjà exposée n'est pas si grande et nous voyons une voie pour la réduire encore. Prenons, afin de faciliter la présentation, l'exemple de la pulsion d'agression et faisons l'hypothèse que dans ces conditions il s'agit toujours de renoncement à l'agression. Ce ne sera naturellement qu'une hypothèse provisoire. L'effet du renoncement pulsionnel sur la conscience morale se produit alors de façon telle que toute part d'agression que nous nous abstenons de satisfaire est reprise par le sur-moi et accroît l'agression de ce dernier (contre le moi). Cela ne s'accorde pas bien avec le fait que l'agression originelle de la conscience morale est le prolongement de la sévérité de l'autorité externe et n'a donc rien à voir avec le renoncement. Mais nous faisons disparaître ce désaccord si, pour ce premier équipement du sur-moi en agression, nous faisons l'hypothèse d'une autre dérivation. Contre l'autorité qui empêche l'enfant d'accéder aux premières satisfactions, lesquelles sont aussi par ailleurs les plus significatives, il s'est forcément développé chez lui un degré considérable de penchant à l'agression, quelle que soit l'espèce de pulsion sur laquelle portent les renonciations exigées.

489  Poussé par la nécessité, l'enfant a dû renoncer à la satisfaction de cette agression vindicative. Il se sort de cette situation économique difficile par le moyen de mécanismes connus, en accueillant en lui, par identification, cette autorité inattaquable, laquelle dès lors devient le sur-moi et entre en possession de toute cette agression qu'enfant on aurait aimé exercer contre elle. Le moi de l'enfant doit se contenter du triste rôle de l'autorité ainsi rabaissée — celui du père. C'est une inversion de la situation, comme cela est si fré-

quent. « Si j'étais le père et toi l'enfant, je te traiterais mal. » La relation entre sur-moi et moi est le retour, déformé par le souhait, des relations réelles entre le moi encore indivis et un objet externe. Cela aussi est typique. Mais la différence essentielle est que la sévérité originelle du sur-moi n'est pas — ou pas tellement — celle qu'on a connue de lui[a] ou qu'on lui impute, mais bien celle qui représente notre propre agression contre lui. Si cela est exact, on peut effectivement affirmer que la conscience morale apparaît au début par la répression d'une agression et qu'elle se renforce dans la suite par de nouvelles répressions analogues.

Des deux conceptions, laquelle a donc raison ? La première, qui nous apparaissait génétiquement si inattaquable, ou la nouvelle, qui parfait la théorie d'une façon si bien venue ? Manifestement, et même d'après le témoignage de l'observation directe, les deux sont justifiées ; elles ne sont pas antagonistes et se rencontrent même sur un point, car l'agression vindicative de l'enfant sera en même temps déterminée par le degré d'agression punitive qu'il attend du père. Mais l'expérience enseigne que la sévérité du sur-moi, que développe un enfant, ne reproduit nullement la sévérité du traitement qu'il a lui-même connu[1]. La première apparaît comme indépendante de la seconde ; un enfant qui a été éduqué avec beaucoup de douceur pourra avoir une conscience morale très sévère. Par ailleurs il serait pourtant inexact de vouloir exagérer cette indépendance ; il n'est pas difficile de se convaincre que la sévérité de l'éducation exerce aussi une forte influence sur la formation du sur-moi enfantin. Cela revient à dire que, dans la formation du sur-moi et l'apparition de la conscience morale, agissent conjointement des facteurs constitutionnels congénitaux et des influences du milieu, de l'environnement réel, et cela n'est en rien déconcertant, mais bien la condition étiologique générale de tous les processus de cette sorte[2].

490

---

1. Comme cela a été relevé avec justesse par Melanie Klein et d'autres auteurs anglais.
2. Fr. Alexander, dans la « Psychanalyse de la personnalité totale »[b] (1927), a pertinemment pris en compte les deux types principaux de méthodes d'éducation

a. le père, qui est ici l'objet externe.
b. *Die Psychoanalyse der Gesamtpersönlichkeit*, Wien, Internationaler Psychoanalytischer Verlag.

On peut dire aussi que lorsque l'enfant réagit aux premiers grands refusements pulsionnels avec une agression excessivement forte et une sévérité correspondante du sur-moi, il suit ainsi un modèle phylogénétique et passe outre à la réaction justifiée dans l'actuel, car le père des temps préhistoriques était assurément terrible, et on était en droit de lui imputer le plus extrême degré d'agression. Les différences entre les deux conceptions de la genèse de la conscience morale s'amoindrissent donc encore davantage quand on passe de l'histoire du développement individuel à celle du développement phylogénétique. En revanche, il se rencontre une nouvelle différence significative dans ces deux processus. Nous ne pouvons pas échapper à l'hypothèse que le sentiment de culpabilité de l'humanité est issu du complexe d'Œdipe et fut acquis lors de la mise à mort du père par l'union des frères. Il y eut en ces temps-là une agression qui ne fut pas réprimée mais exécutée, cette même agression dont la répression chez l'enfant est censée être la source du sentiment de culpabilité. Dès lors, je ne m'étonnerais pas qu'un lecteur s'exclamât avec irritation : « Il est donc tout à fait indifférent qu'on fasse mourir le père ou non, dans tous les cas on aura un sentiment de culpabilité! On peut ici se permettre quelques doutes. Ou bien il est faux que le sentiment de culpabilité provienne d'agressions réprimées, ou bien toute l'histoire de la mise à mort du père est un roman et les enfants de l'homme originaire n'ont pas fait mourir leurs pères plus fréquemment que ne le font habituellement ceux d'aujourd'hui. D'ailleurs, si ce n'est pas un roman, mais une page d'histoire plausible, on se trouverait face à un cas où advient ce à quoi tout le monde s'attend, c'est-à-dire se

---

pathogènes, la sévérité excessive et la gâterie, dans la ligne de l'étude de Aichhorn[a] sur l'état d'abandon. Le père « excessivement faible et indulgent » deviendra chez l'enfant un facteur occasionnant la formation d'un sur-moi excessivement sévère, parce qu'il ne reste à cet enfant, sous l'impression de l'amour qu'il reçoit, aucune autre issue pour son agression que de la tourner vers l'intérieur. Chez l'enfant à l'abandon qui a été éduqué sans amour, la tension entre moi et sur-moi disparaît, toute son agression peut s'orienter vers l'extérieur. Fait-on alors abstraction d'un facteur constitutionnel conjectural, on peut dire que la conscience morale sévère naît de l'action conjointe de deux influences de la vie, le refusement pulsionnel qui déchaîne l'agression et l'expérience d'amour qui tourne cette agression vers l'intérieur et la transfère au sur-moi.

a. *Verwahrloste Jugend* (Jeunesse à l'abandon), Leipzig-Wien-Zürich, Internationaler Psychoanalytischer Verlag, 1925. Cf. *OCF.P*, XVII, p. 159-163.

sentir coupable parce qu'on a effectivement fait ce qui ne peut se justifier. Et pour ce cas, qui se produit d'ailleurs tous les jours, la psychanalyse nous reste redevable de l'explication. »

C'est vrai et cela doit être rattrapé. Ce n'est pas non plus un mystère particulier. Quand on a un sentiment de culpabilité après avoir et pour avoir commis un crime, on devrait plutôt nommer ce sentiment remords. Il se rapporte seulement à un acte, présupposant naturellement qu'une conscience morale, la propension à se sentir coupable, existait déjà avant l'acte. Un tel remords ne saurait donc en rien nous aider à trouver l'origine de la conscience morale et du sentiment de culpabilité. Le déroulement de ces cas de tous les jours est habituellement celui-ci : un besoin pulsionnel a acquis la force d'imposer sa satisfaction contre la conscience morale, malgré tout limitée dans sa force, et avec l'affaiblissement naturel du besoin, entraîné par sa satisfaction, le rapport de forces antérieur est réinstauré. La psychanalyse fait donc bien d'exclure de ces discussions le cas du sentiment de culpabilité par remords, si fréquemment qu'il survienne et si grande que soit sa significativité pratique.

Mais si le sentiment de culpabilité humain remonte à la mise à mort du père originaire, c'était bel et bien un cas de « remords », et ne faut-il pas qu'en ce temps-là, comme il est présupposé, conscience morale et sentiment de culpabilité aient existé avant l'acte ? D'où provint en ce cas le remords ? Assurément, ce cas doit élucider pour nous le mystère du sentiment de culpabilité, mettant fin à nos embarras. Et j'estime que c'est bien ce qu'il fait. Ce remords était le résultat de la toute première ambivalence de sentiment envers le père, les fils le haïssaient mais ils l'aimaient aussi ; une fois la haine satisfaite par l'agression, l'amour se fit jour dans le remords de l'acte, érigea le sur-moi par identification avec le père, lui donna la puissance du père comme par punition de l'acte d'agression perpétré contre lui, créa les restrictions qui devaient empêcher une répétition de l'acte. Et comme le penchant à l'agression envers le père se répéta dans les générations suivantes, le sentiment de culpabilité persista aussi et se renforça de nouveau par chaque agression réprimée et transférée au sur-moi. Voilà donc, à mon avis, que nous appréhendons enfin deux choses en pleine

492

clarté, la part de l'amour dans l'apparition de la conscience morale et l'inévitabilité fatale du sentiment de culpabilité. Qu'on ait mis à mort le père ou qu'on se soit abstenu de l'acte, cela n'est vraiment pas décisif, dans les deux cas on ne peut que se trouver coupable, car le sentiment de culpabilité est l'expression du conflit d'ambivalence, du combat éternel entre l'Eros et la pulsion de destruction ou de mort. Ce conflit est attisé dès que la tâche de vivre en commun est assignée aux hommes ; aussi longtemps que cette communauté ne connaît que la forme de la famille, ce conflit doit nécessairement se manifester dans le complexe d'Œdipe, instituer la conscience morale, créer le premier sentiment de culpabilité. Si un élargissement de cette communauté est tenté, le même conflit se prolonge et se renforce dans des formes qui sont dépendantes du passé, et il a pour conséquence un nouvel accroissement du sentiment de culpabilité. Comme la culture obéit à une impulsion érotique intérieure qui lui ordonne de réunir les hommes en une masse intimement liée, elle ne peut atteindre ce but que par la voie d'un renforcement toujours croissant du sentiment de culpabilité. Ce qui fut commencé avec le père s'achève avec la masse. Si la culture est le parcours de développement nécessaire menant de la famille à l'humanité, alors est indissolublement lié à elle, comme conséquence du conflit d'ambivalence inné, comme conséquence de l'éternel désaccord entre amour et tendance à la mort, l'accroissement du sentiment de culpabilité, porté peut-être à des hauteurs que l'individu trouve difficilement supportables. On se souvient de l'accusation saisissante du grand poète contre les « puissances célestes » :

> « Vous nous introduisez dans la vie,
> Vous faites que le malheureux devienne coupable,
> Puis vous l'abandonnez au tourment,
> Car toute coulpe se venge sur la terre. »[1a]

1. Goethe, Chants du harpiste dans « Wilhelm Meister ».

a.    « *Ihr führt ins Leben uns hinein,*
       *Ihr laßt den Armen schuldig werden,*
       *Dann überlaßt Ihr ihn der Pein,*
       *Denn jede Schuld rächt sich auf Erden.* »

*Wilhelm Meisters Lehrjahre* (Les années d'apprentissage de Wilhelm Meister), II, 13. [Cf. *OCF.P*, XIII, p. 84, note b.]

Et l'on peut bien pousser un soupir quand on reconnaît qu'il est donné à tels ou tels êtres humains de faire surgir du tourbillon de leurs propres sentiments, à vrai dire sans peine, les vues les plus pénétrantes vers lesquelles nous autres avons à nous frayer le chemin en nous tourmentant dans l'incertitude et en tâtonnant sans répit.

## VIII

Parvenu au terme d'un tel chemin, l'auteur ne peut que prier ses lecteurs de l'excuser de n'avoir pas été pour eux un guide habile, de ne pas leur avoir épargné l'expérience de parcours arides et de détours pénibles. On peut sans aucun doute faire mieux. Je vais tenter après coup d'arranger quelque peu les choses.

Tout d'abord, je soupçonne les lecteurs d'avoir l'impression que les discussions sur le sentiment de culpabilité font éclater le cadre de cet essai, en prenant pour elles trop de place et en poussant dans la marge leur autre contenu, avec lequel elles ne sont pas toujours en intime corrélation. Cela peut bien avoir dérangé l'architecture de ce traité, mais correspond tout à fait à l'intention de mettre en avant le sentiment de culpabilité comme le problème le plus important du développement de la culture, et de montrer que le prix à payer pour le progrès de la culture est une perte de bonheur, de par l'élévation du sentiment de culpabilité[1]. Ce qui, dans cette proposition, résultat

494

---

1. « C'est ainsi que la conscience morale fait de nous tous des lâches... »[a]
  Le fait de dissimuler à l'être adolescent quel rôle la sexualité jouera dans sa vie n'est pas l'unique reproche qu'on doive adresser à l'éducation d'aujourd'hui. Elle pèche en outre en ceci qu'elle ne le prépare pas à l'agression dont il est destiné à devenir l'objet. En lâchant la jeunesse dans la vie avec une orientation psychologique aussi inexacte, l'éducation ne se comporte pas autrement que si l'on équipait des gens partant pour une expédition polaire avec des vêtements d'été et des cartes des lacs lombards. Un certain abus des exigences éthiques apparaît ici avec netteté. La sévérité de celles-ci ne causerait guère de dommages si l'éducation disait : tels devraient être les hommes pour devenir heureux et pour en rendre d'autres heureux ; mais il faut s'attendre à ce qu'ils ne soient pas tels. Au lieu de cela, on fait croire à l'adolescent que tous les autres remplissent les prescriptions éthiques, qu'ils sont donc tous vertueux. Par là on fonde aussi l'exigence que lui aussi le devienne.

  a. Shakespeare, monologue d'Hamlet : « *Thus conscience does make cowards of us all...* » (*Hamlet*, III, 1).

final de notre investigation, semble encore déconcertant, se ramène vraisemblablement au rapport du sentiment de culpabilité à notre conscience, rapport singulier, encore tout à fait incompris. Il se fait perceptible à notre conscience avec suffisamment de netteté dans les cas ordinaires de remords que nous estimons normaux ; ne sommes-nous pas habitués à dire, au lieu de sentiment de culpabilité, « conscience de culpabilité » ? De l'étude des névroses, auxquelles nous devons pourtant les indications les plus précieuses pour la compréhension du normal, se dégagent des rapports pleins de contradictions. Dans l'une de ces affections, la névrose de contrainte, le sentiment de culpabilité s'impose à la conscience en parlant à très haute voix, il domine le tableau de maladie tout comme la vie des malades, ne laissant guère apparaître autre chose à côté de lui. Mais dans la plupart des autres cas et formes de névrose, il reste totalement inconscient, sans manifester pour autant des effets de moindre importance. Les malades ne nous croient pas quand nous leur imputons un « sentiment de culpabilité inconscient » ; pour être compris d'eux, ne fût-ce qu'à moitié, nous leur parlons d'un besoin de punition inconscient dans lequel se manifeste le sentiment de culpabilité. Mais on ne devrait pas surestimer la relation avec la forme de névrose ; il y a aussi dans la névrose de contrainte des types de malades qui ne perçoivent pas leur sentiment de culpabilité ou qui ne l'éprouvent comme un malaise tourmentant, comme une sorte d'angoisse, qu'au moment où ils sont empêchés d'exécuter certaines actions. On devrait pouvoir comprendre ces choses une fois pour toutes, mais on ne le peut pas encore. Peut-être est-il opportun de remarquer ici que le sentiment de culpabilité n'est au fond rien d'autre qu'une variété topique de l'angoisse ; dans ses phases tardives, il coïncide tout à fait avec l'angoisse devant le sur-moi. Et dans l'angoisse les mêmes extraordinaires variations se rencontrent dans son rapport à la conscience. D'une manière ou d'une autre, l'angoisse se cache derrière tous les symptômes, mais tantôt elle accapare bruyamment la conscience, tantôt elle se dissimule si parfaitement que nous sommes obligés de parler d'angoisse inconsciente, ou — si nous voulons garder plus pure notre conscience morale de psychologue, puisqu'en effet l'angoisse n'est au premier chef, il est vrai, qu'une sensation —, de possibilités d'angoisse. Et c'est pourquoi on peut très bien penser que la conscience de culpabilité engendrée par la culture n'est pas, elle non plus, reconnue comme telle, qu'elle reste pour une grande part inconsciente ou qu'elle se fait jour comme un malaise, un mécontentement, pour lesquels on cherche d'autres motivations. Les religions du moins n'ont jamais méconnu le rôle du sentiment de culpabilité dans la culture. Elles surviennent en effet, ce que je n'avais pas pris en compte ailleurs[1], avec même la prétention de rédimer l'humanité de ce sentiment de culpabilité qu'elles appellent péché. De la manière dont est obtenue cette rédemption dans le christianisme par la mort sacrificielle d'un seul, qui prend ainsi sur lui une coulpe commune à tous, nous avons en effet inféré ce qui peut bien avoir été la première occasion d'acquérir cette coulpe originaire, par laquelle la culture commença[2] elle aussi.

Il ne sera pas très important, même si cela peut bien ne pas être superflu, d'expliciter la signification de quelques mots tels que surmoi, conscience morale, sentiment de culpabilité, besoin de punition, remords, que nous avons peut-être utilisés souvent de manière trop lâche et l'un pour l'autre. Tous se rapportent au même état de choses, mais en en dénommant des aspects différents. Le sur-moi est une instance inférée par nous, la conscience morale une fonction que nous lui attribuons à côté d'autres, ayant à surveiller et juger les actions et les visées du moi, exerçant une activité de censure. Le sentiment de culpabilité, la dureté du sur-moi, est donc la même chose que la sévérité de la conscience morale, il est la perception, impartie au moi, de la surveillance à laquelle celui-ci est ainsi soumis, il est l'évaluation de la tension entre les tendances du moi et les exigences du sur-moi, et l'angoisse devant cette instance critique qui est à la base de toute la relation, le besoin de punition, est une manifestation pulsionnelle du moi qui est devenu masochiste sous l'influence du sur-moi sadique, c'est-à-dire qu'il utilise, aux fins d'une liaison érotique avec le sur-moi, une part de la pulsion à la destruction interne qui est présente en lui. On ne devrait pas parler de conscience morale avant qu'un sur-moi ne soit susceptible d'être mis en évidence ; quant à la conscience de culpabilité, il faut concé-

496

---

1. Je veux dire : L'avenir d'une illusion (1927).
2. Totem et tabou (1912).

der qu'elle existe antérieurement au sur-moi, donc aussi à la conscience morale. Elle est alors l'expression immédiate de l'angoisse devant l'autorité externe, la reconnaissance de la tension existant entre le moi et cette dernière, le rejeton direct du conflit entre le besoin d'être aimé par cette autorité et cette poussée vers la satisfaction pulsionnelle dont l'inhibition engendre le penchant à l'agression. La superposition de ces deux strates du sentiment de culpabilité — par angoisse devant l'autorité externe et devant l'autorité interne — nous a plus d'une fois rendu difficile d'y voir clair dans les relations de la conscience morale. Remords est un terme général pour désigner la réaction du moi dans un cas donné de sentiment de culpabilité, il englobe, peu transformé, le matériel de sensations de l'angoisse à l'œuvre à l'arrière-plan, il est lui-même une punition et peut inclure le besoin de punition ; il peut donc être, lui aussi, plus ancien que la conscience morale.

497    On peut d'ailleurs sans aucun dommage rappeler encore une fois les contradictions qui nous ont déroutés un temps dans notre investigation. Le sentiment de culpabilité devait être une fois la conséquence d'agressions dont on s'était abstenu, mais une autre fois, et précisément à son début historique, la mise à mort du père, la conséquence d'une agression exécutée. Nous avons d'ailleurs trouvé le moyen de sortir de cette difficulté. L'instauration de l'autorité interne, le sur-moi, a justement changé radicalement les rapports. Auparavant, le sentiment de culpabilité coïncidait avec le remords ; nous remarquons ici que le terme de remords doit être réservé à la réaction succédant à l'exécution effective de l'agression. Après, par suite de l'omniscience du sur-moi, la différence entre agression intentionnelle et agression accomplie perdit sa force ; dès lors, un acte de violence effectivement exécuté pouvait engendrer un sentiment de culpabilité — comme tout le monde le sait — tout aussi bien qu'un acte de violence seulement intentionnel — comme la psychanalyse l'a reconnu. Par-delà la modification de la situation psychologique, le conflit d'ambivalence des deux pulsions originaires entraîne le même effet. La tentation est grande de chercher ici la solution de l'énigme que pose la relation variable du sentiment de culpabilité à la conscience. Le sentiment de culpabilité par remords de l'acte mauvais devrait nécessairement être tou-

jours conscient, le sentiment de culpabilité par perception de l'impulsion mauvaise pourrait demeurer inconscient. Seulement, ce n'est pas aussi simple, la névrose de contrainte contredit cela énergiquement. La seconde contradiction était que, selon une des conceptions, l'énergie agressive, dont on pense que le sur-moi est équipé, ne fait que prolonger l'énergie punitive de l'autorité externe et la conserve pour la vie d'âme, alors qu'une autre conception estime que c'est bien plutôt notre propre agression, non parvenue à utilisation, que l'on mobilise contre cette autorité inhibitrice. La première doctrine semblait mieux s'adapter à l'histoire, la seconde à la théorie du sentiment de culpabilité. Une réflexion plus approfondie a presque par trop estompé l'opposition apparemment inconciliable ; ce qui reste d'essentiel et de commun, c'est qu'il s'agit d'une agression déplacée vers l'intérieur. L'observation clinique permet à son tour de différencier effectivement deux sources pour l'agression attribuée au sur-moi, dont l'une ou l'autre exerce dans tel ou tel cas l'action la plus forte, mais qui, d'une manière générale, agissent conjointement. 498

J'estime que c'est ici le lieu de soutenir sérieusement une conception que j'avais recommandée précédemment comme hypothèse provisoire. Dans la littérature psychanalytique la plus récente se fait jour une prédilection pour la doctrine selon laquelle chaque sorte de refusement, chaque satisfaction pulsionnelle empêchée, a ou pourrait avoir pour conséquence un accroissement du sentiment de culpabilité[1]. Je crois que l'on se facilite grandement les choses sur le plan théorique en disant que cela ne vaut que pour les pulsions agressives et on ne trouvera pas grand-chose qui contredise cette hypothèse. Mais alors comment explique-t-on dynamiquement et économiquement qu'à la place d'une revendication érotique privée d'accomplissement survient un accroissement du sentiment de culpabilité ? Eh bien ! cela ne semble possible que par ce détour : l'empêchement de la satisfaction érotique suscite une part de penchant à l'agression contre la personne qui trouble la satisfaction, et cette agression elle-même doit nécessairement être à son

---

1. En particulier chez E. Jones, Susan Isaacs, Melanie Klein ; mais aussi, à ce que je comprends, chez Reik et Alexander.

tour réprimée. Mais alors, c'est bien l'agression seule qui se mue en sentiment de culpabilité, en étant réprimée et déférée au sur-moi. Je suis convaincu que nous pourrons présenter beaucoup de processus d'une manière plus simple et plus transparente, si nous restreignons aux pulsions agressives la découverte de la psychanalyse portant sur la dérivation du sentiment de culpabilité. Interroger le matériel clinique n'apporte pas ici de réponse univoque parce que, conformément à notre présupposition, les deux espèces de pulsions ne surviennent presque jamais à l'état pur, isolées l'une de l'autre ; mais la prise en compte de cas extrêmes indiquera sans doute la direction à laquelle je m'attends. Je suis tenté de tirer de cette conception plus rigoureuse un premier profit en l'appliquant au processus de refoulement. Les symptômes des névroses, comme nous l'avons appris, sont essentiellement des satisfactions substitutives de souhaits sexuels non accomplis. Au cours du travail analytique, l'expérience nous a appris, à notre grande surprise, que peut-être toute névrose dissimule un montant de sentiment de culpabilité inconscient qui, à son tour, consolide les symptômes en les utilisant comme punition. On est porté maintenant à formuler cette thèse : si une tendance pulsionnelle succombe au refoulement, ses éléments libidinaux sont transposés en symptômes, ses composantes agressives en sentiment de culpabilité. Même si cette thèse n'est exacte que par approximation, elle mérite notre intérêt.

Maints lecteurs de ce traité peuvent aussi rester sous l'impression d'avoir trop souvent entendu la formule du combat entre Eros et pulsion de mort. Cette formule était censée caractériser le procès culturel qui se déroule à l'échelle de l'humanité[a], mais elle fut aussi appliquée au développement de l'individu[b] et était en outre censée avoir dévoilé le mystère de la vie organique en général. Il semble inéluctable d'examiner les relations de ces trois processus entre eux. Or le retour de cette même formule est justifié si l'on considère que le procès culturel de l'humanité, tout comme le développement de l'individu, sont aussi des processus de vie, qu'ils doivent donc néces-

---

a. Cf. *supra*, p. 64.
b. Cf. *supra*, p. 61.

sairement participer du caractère le plus général de la vie. D'autre part, c'est justement pour cela que la mise en évidence de ce trait général ne contribue en rien à une différenciation aussi longtemps qu'il n'est pas restreint par des conditions particulières. Nous ne pouvons donc nous tranquilliser qu'en énonçant que le procès culturel est cette modification du procès de vie que celui-ci connaît sous l'influence d'une tâche assignée par l'Eros et suscitée par l'Anankè, la nécessité réelle ; et cette tâche est la réunion d'êtres humains isolés en une communauté les liant libidinalement entre eux. Mais si nous prenons en considération la relation entre le procès culturel de l'humanité et le procès de développement ou d'éducation de l'homme individuel, nous trancherons sans beaucoup hésiter en disant que tous les deux sont de nature très semblable, si même il ne s'agit pas du même processus s'appliquant à des objets d'espèce différente. Le procès culturel de l'espèce humaine est naturellement une abstraction d'un ordre plus élevé que le développement de l'individu, il est de ce fait plus difficile à saisir concrètement, et le dépistage des analogies ne doit pas être exagéré de façon contraignante ; mais étant donné la similarité des buts — ici l'insertion d'un individu dans une masse humaine, là l'instauration d'une unité de masse à partir de nombreux individus —, la similitude des moyens utilisés à cette fin et celle des phénomènes qui surviennent ne peuvent surprendre. Il est un trait différenciant les deux processus qui, vu son extraordinaire significativité, ne peut rester longtemps sans être mentionné. Dans le procès de développement de l'individu, le programme du principe de plaisir, trouver la satisfaction de bonheur, est maintenu comme but principal, l'insertion dans ou l'adaptation à une communauté humaine semblant être une condition à peine évitable, qui doit être remplie en cherchant à atteindre ce but de bonheur. Si cela se faisait sans cette condition, ce serait peut-être mieux. En d'autres termes : le développement individuel nous semble être un produit de l'interférence des deux tendances, l'aspiration au bonheur, que nous appelons habituellement « égoïste », et l'aspiration à la réunion avec les autres dans la communauté, que nous appelons « altruiste ». Ces deux désignations ne vont guère au-delà du superficiel. Dans le développement individuel, comme il a été dit, l'accent principal porte la plupart

500

du temps sur la tendance égoïste ou tendance au bonheur ; l'autre tendance, qu'on nommera « culturelle », se contente en règle générale d'un rôle restrictif. Il en va autrement dans le procès culturel. Ici, le but d'instaurer une unité à partir des individus humains est de loin le principal, le but de rendre heureux existe certes encore, mais il est repoussé à l'arrière-plan ; il semble presque que la création d'une grande communauté humaine aurait le plus de chance de réussir si l'on n'avait pas à se soucier du bonheur de l'individu. Le procès de développement de l'individu peut donc bien avoir ses traits particuliers qui ne se retrouvent pas dans le procès culturel de l'humanité ; ce n'est que dans la mesure où ce premier processus a pour but le rattachement à la communauté qu'il doit coïncider avec le second.

De même que la planète continue de tourner autour de son corps central, outre qu'elle exécute une rotation sur son axe propre, de même l'homme individuel prend part, lui aussi, au parcours de développement de l'humanité, tout en suivant son propre chemin de vie. Mais à notre œil infirme, le jeu des forces dans le ciel semble figé en un ordre éternellement égal ; dans l'advenir organique, nous voyons encore les forces lutter les unes contre les autres et les résultats du conflit se modifier constamment. Ainsi les deux tendances, celle au bonheur individuel et celle au rattachement à l'humanité, ont-elles aussi à combattre l'une contre l'autre en chaque individu ; ainsi les deux procès du développement individuel et du développement culturel doivent-ils nécessairement s'affronter avec hostilité et se disputer l'un à l'autre le terrain. Mais ce combat entre l'individu et la société n'est pas un rejeton de l'opposition, vraisemblablement inconciliable, des pulsions originaires, Eros et mort, il signifie une discorde dans l'économie de la libido, comparable à la dispute pour le partage de la libido entre le moi et les objets, et il autorise un équilibre final chez l'individu, tout comme aussi, nous l'espérons, dans l'avenir de la culture, même si de nos jours il rend encore la vie de l'individu si pénible.

L'analogie entre le procès culturel et la voie de développement de l'individu peut être élargie dans une proportion significative. On est en droit d'affirmer en effet que la communauté, elle aussi, produit un sur-moi, sous l'influence duquel s'effectue le développement de la culture. Ce peut être une tâche tentante pour un connaisseur des cultures humaines que de poursuivre cette assimilation dans le détail. Je me bornerai à mettre en relief quelques points frappants. Le sur-moi d'une époque culturelle a une origine semblable à celui de l'homme individuel, il repose sur l'impression qu'ont laissée derrière elles de grandes personnalités de meneurs, hommes d'une 502 force d'esprit terrassante ou bien ceux chez qui une des tendances humaines a trouvé son extension la plus forte et la plus pure, par là souvent aussi la plus unilatérale. L'analogie va encore plus loin dans de nombreux cas, du fait que de leur vivant ces personnages — assez fréquemment, sinon toujours — furent par les autres raillés, maltraités ou même éliminés de manière cruelle, tout comme d'ailleurs le père originaire, qui ne s'éleva au rang de divinité que longtemps après sa mise à mort violente. De cette connexion du destin, le personnage de Jésus-Christ est précisément l'exemple le plus saisissant, à supposer même qu'il n'appartienne pas au mythe qui lui a donné vie, en souvenir obscur de ce processus originaire. Un autre point de concordance est que le sur-moi-de-la-culture, tout comme celui de l'individu, pose de sévères exigences d'idéal dont la non-observance est punie par de l' « angoisse de conscience morale ». Ici d'ailleurs se produit ce cas remarquable : les processus animiques ici en cause nous sont, du côté de la masse, plus familiers, plus accessibles à la conscience qu'ils ne peuvent le devenir chez l'homme individuel. Chez celui-ci, en cas de tension, seules les agressions du sur-moi se manifestent à très haute voix sous forme de reproches, tandis que les exigences elles-mêmes restent souvent inconscientes à l'arrière-plan. Les amène-t-on à la connaissance consciente, il s'avère alors qu'elles coïncident chaque fois avec les préceptes d'un sur-moi-de-la-culture donné. Ici, pour ainsi dire, les deux processus, le procès de développement culturel de la foule et celui qui est propre à l'individu, sont régulièrement collés l'un à l'autre. C'est pourquoi bien des manifestations et particularités du sur-moi peuvent être plus facilement reconnues dans son comportement au sein de la communauté de culture que chez l'individu.

Le sur-moi-de-la-culture a produit ses idéaux et élevé ses exigences. Parmi ces dernières, celles qui concernent les relations des

hommes entre eux sont regroupées en tant qu'éthique. De tout
temps, on a attaché la plus grande valeur à cette éthique, comme si
on attendait précisément d'elle des performances particulièrement
503   importantes. Et effectivement, l'éthique se tourne vers un point qui
est facilement reconnaissable comme l'endroit le plus sensible de
toute culture. L'éthique est en effet à concevoir comme une tentative thérapeutique, comme un effort pour atteindre par un commandement du sur-moi ce qui jusqu'ici ne pouvait être atteint par
tout autre travail culturel. Nous le savons déjà, il s'agit ici de se
demander comment écarter le plus grand obstacle à la culture, le
penchant constitutionnel des hommes à s'agresser mutuellement, et
c'est précisément pourquoi le plus récent probablement des com-
mandements culturels du sur-moi devient pour nous particulièrement intéressant, le commandement : Aime ton prochain comme
toi-même[a]. Dans la recherche sur les névroses et dans la thérapie
des névroses, nous en venons à élever deux reproches contre le sur-
moi de l'individu : il se soucie trop peu, dans la sévérité de ses com-
mandements et interdits, du bonheur du moi, en ne prenant pas
suffisamment en compte les résistances contre leur observance, la
force pulsionnelle du ça et les difficultés du monde environnant
réel. Aussi sommes-nous très souvent obligés, dans une visée thérapeutique, de combattre le sur-moi et nous nous efforçons de rabaisser ses revendications. Nous pouvons élever des objections tout à
fait semblables contre les exigences éthiques du sur-moi-de-la-
culture. Celui-ci non plus ne se soucie pas suffisamment des données de la constitution animique de l'homme, il édicte un commandement et ne demande pas s'il est possible à l'homme de l'observer.
Au contraire, il présume qu'au moi de l'homme tout ce dont on le
charge est psychologiquement possible, qu'au moi il incombe de
régner sans restriction sur son ça. C'est une erreur, et même chez
les hommes dits normaux, la domination sur le ça ne peut s'ac-
croître au-delà de limites déterminées. Exige-t-on davantage, alors
on engendre chez l'individu la révolte, ou la névrose, ou bien on le
rend malheureux. Le commandement « Aime ton prochain comme
toi-même » est la défense la plus forte contre l'agression humaine et

a. Cf. *supra*, p. 51-53.

un excellent exemple de la démarche non psychologique du sur-moi-de-la-culture. Le commandement est impraticable; une infla-tion aussi grandiose de l'amour peut seulement en abaisser la valeur, elle ne peut éliminer la nécessité. La culture néglige tout 504 cela; elle se contente de rappeler que plus l'observance du précepte est difficile, plus elle est méritoire. Mais celui qui, dans la culture présente, se conforme à un tel précepte ne fait que se désavantager par rapport à celui qui se place au-dessus de lui. Quelle ne doit pas être la violence de cet obstacle à la culture qu'est l'agression, si la défense contre celle-ci peut rendre aussi malheureux que l'agression elle-même! L'éthique dite naturelle n'a ici rien à offrir si ce n'est la satisfaction narcissique d'être en droit de se considérer comme meil-leur que ne sont les autres. L'éthique qui s'étaye sur la religion fait intervenir ici ses promesses d'un au-delà meilleur. J'estime qu'aussi longtemps que la vertu ne trouvera pas sa récompense dès cette terre, l'éthique prêchera en vain. Il me paraît, à moi aussi, indubi-table qu'une réelle modification dans les relations des hommes à la possession des biens sera ici d'un plus grand secours que tout com-mandement éthique; mais cette clairvoyance de la part des socia-listes est troublée par une nouvelle méconnaissance idéaliste de la nature humaine et rendue sans valeur au niveau de l'exécution[a].

Le mode de considération qui s'attache à étudier le rôle d'un sur-moi dans les phénomènes du développement de la culture me semble promettre d'autres révélations encore. Je me hâte de conclure. Il est une question que je peux toutefois difficilement esquiver. Si le développement de la culture ressemble tant à celui de l'individu et travaille avec les mêmes moyens, ne serait-on pas fondé à diagnostiquer que maintes cultures — ou époques de la culture — peut-être l'humanité tout entière — sont devenues « névrosées » sous l'influence des tendances de la culture? A la dis-section analytique de ces névroses pourraient se rattacher des pro-positions thérapeutiques susceptibles de prétendre à un grand inté-rêt pratique. Je ne pourrais pas dire qu'une telle tentative de transférer la psychanalyse à la communauté de la culture serait insensée ou condamnée à la stérilité. Mais il faudrait être très pru-

a. Cf. *supra*, p. 55-56.

dent, ne pas oublier qu'il ne s'agit pourtant que d'analogies et qu'il est dangereux non seulement pour les humains, mais aussi pour les concepts, de les arracher à la sphère dans laquelle ils ont pris naissance et se sont développés. De plus, le diagnostic des névroses de communauté se heurte à une difficulté particulière. Ce qui dans la névrose individuelle nous sert de premier point d'appui, c'est le contraste par lequel le malade tranche sur son entourage supposé « normal ». Un tel arrière-plan manque dans une masse atteinte d'une affection similaire, il faudrait aller le chercher ailleurs. Et en ce qui concerne l'utilisation thérapeutique de nos connaissances, de quel secours serait l'analyse la plus pertinente de la névrose sociale, puisque personne ne possède l'autorité pour imposer la thérapie à la masse ? Malgré tout ce surcroît de difficultés, on peut s'attendre à ce qu'un jour quelqu'un s'engage dans l'entreprise hasardeuse d'une telle pathologie des communautés culturelles.

Faire l'évaluation de la culture humaine, cela est, pour les motifs les plus divers, bien loin de ma pensée. Je me suis efforcé d'écarter de moi le préjugé enthousiaste voulant que notre culture soit le bien le plus précieux que nous possédions ou puissions acquérir et que sa voie ait à nous mener nécessairement à des sommets de perfection insoupçonnée. Du moins puis-je écouter sans indignation le critique selon lequel, si l'on envisage les buts auxquels tend la culture et les moyens qu'utilise cette tendance, on doit arriver à la conclusion que tout cet effort n'en vaut pas la peine, le résultat ne pouvant être qu'un état que l'individu doit forcément trouver insupportable. Mon impartialité m'est facilitée par le fait que j'en sais très peu sur toutes ces choses, n'en connaissant qu'une avec certitude, c'est que les jugements de valeur des hommes sont dirigés inconditionnellement par leurs souhaits de bonheur, qu'ils sont donc une tentative pour appuyer leurs illusions par des arguments. Je comprendrais très bien que quelqu'un fît ressortir le caractère contraint que prend le cours de la culture humaine et dît par ex. que le penchant à restreindre la vie sexuelle ou celui à imposer l'idéal d'humanité aux dépens de la sélection naturelle sont des directions de développement qui ne se laissent ni détourner ni dévier et devant lesquelles mieux vaut s'incliner, comme si c'étaient des nécessités de la nature. Je sais aussi ce que l'on objecte à cela :

à savoir que les tendances même que l'on considérait comme insur-
montables ont été souvent, au cours de l'histoire de l'humanité,
mises au rebut et remplacées par d'autres. Aussi le courage me
manque-t-il pour m'ériger en prophète devant mes semblables et je
m'incline devant leur reproche de ne pas être à même de leur
apporter le réconfort, car c'est cela qu'au fond tous réclament, les
plus sauvages révolutionnaires pas moins passionnément que les
plus braves et pieux croyants.

La question décisive pour le destin de l'espèce humaine me
semble être de savoir si et dans quelle mesure son développement
culturel réussira à se rendre maître de la perturbation apportée à la
vie en commun par l'humaine pulsion d'agression et d'auto-anéantissement. A cet égard, l'époque présente mérite peut-être justement un intérêt particulier. Les hommes sont maintenant parvenus
si loin dans la domination des forces de la nature qu'avec l'aide de
ces dernières il leur est facile de s'exterminer les uns les autres jusqu'au dernier. Ils le savent, de là une bonne part de leur inquiétude présente, de leur malheur, de leur fonds d'angoisse. Et maintenant il faut s'attendre à ce que l'autre des deux « puissances
célestes »[a], l'Eros éternel, fasse un effort pour s'affirmer dans le
combat contre son adversaire tout aussi immortel. Mais qui peut
présumer du succès et de l'issue[b] ?

a.  Cf. *supra*, p. 76.
b.  Phrase ajoutée en 1931.

# Index des personnes, des personnages
## et des œuvres

# Index des matières

*Conventions relatives à la présentation*

1 / Les textes sont précédés :

*a* / de la référence des principales éditions en allemand (notamment première publication, *GW, SA*), en anglais *(SE)* et en français (première traduction et traduction disponible en dehors des *OCF.P*) ;

*b* / d'une notice relative aux conditions d'élaboration, de rédaction et de publication.

2 / La typographie respecte fidèlement les deux procédés utilisés par Freud pour mettre certains mots ou phrases en évidence : le r o m a i n  i n t e r l e t t r é et l'*italique*.

3 / La traduction, sauf indication contraire, est faite d'après le texte des *GW*, dont la pagination est indiquée en marge. Les variantes et les ajouts sont indiqués en note.

Deux signes sont intégrés au texte :

*a* / un astérisque suivant le mot *chose* quand il traduit *Ding* et non *Sache* dans les usages métapsychologiques ; un astérisque suivant le mot *objet* quand il traduit *Gegenstand* et non *Objekt* ; un astérisque suivant les mots *représenter, représentant, représentance* quand ils traduisent *repräsentieren, Repräsentant, Repräsentanz*, et non pas *vertreten, Vertreter, Vertrelung* ;

*b* / des points entre les éléments d'un mot composé de Freud qui forment un tout indissociable ; ces points sont utilisés uniquement dans les cas où il faut lever une ambiguïté (ex. : angoisse·de·mort réelle).

4 / Les notes de Freud sont appelées par un chiffre arabe :

*a* / leur transcription respecte intégralement la présentation bibliographique et typographique de Freud, telle qu'elle est reproduite dans les *GW* ;

*b* / les titres des ouvrages et articles cités par Freud apparaissent d'abord dans leur traduction française ; celle-ci est suivie du titre original entre crochets, avec renvoi aux tomes des *GW* et des *OCF.P* ; sont également mentionnées entre crochets les indications bibliographiques non précisées par Freud ;

*c* / les dates des publications de Freud sont reportées en fin de volume dans l'Index des personnes, des personnages et des œuvres ; elles sont conformes au classement chronologique établi par A. Tyson et J. Strachey.

5 / Les notes d'éditeur sont appelées par une lettre minuscule. Elles comprennent :

*a* / les références bibliographiques en langue originale, suivies de leur traduction ;

*b* / les mots allemands dont la traduction pourrait créer une confusion par rapport à d'autres mots, ou dont le sens demande à être explicité ;

*c* / la traduction des citations données par Freud dans une autre langue que l'allemand ;

*d* / l'explication de certaines allusions à des expressions allemandes, jeux sur les mots, etc. ;

*e* / des indications relatives aux œuvres et personnages évoqués par Freud.

*Index*

1 / L'Index des personnes, personnages et œuvres, recensant tous les noms propres, inclut la bibliographie :

*a* / les œuvres sont données à la suite du nom de leur auteur et précédées de leur date de publication, à l'exception des œuvres littéraires et artistiques ;

*b* / le titre en langue originale est suivi de sa traduction entre parenthèses ; les titres des ouvrages sont en italique, ceux des articles en romain sans guillemets. Les autres précisions bibliographiques (éditeur, lieu de publication), qui sont indiquées dans les notes du volume, ne sont pas reprises.

2 / L'Index des matières répertorie les cas cliniques, citations, comparaisons et symboles qui feront l'objet d'index séparés dans l'Index général (tome XXI, volume I) ; il comprend les noms de personnes lorsque celles-ci sont étudiées d'un point de vue clinique (Hans, Homme aux loups, Léonard, Schreber...).

*a* / Afin de regrouper toutes les références à un thème donné, les entrées sont organisées en fonction du mot clé principal ; « conscience de culpabilité » et « sentiment de culpabilité » sont ainsi indexés à : culpabilité (conscience de) et culpabilité (sentiment de). Pour la commodité de la recherche, certaines entrées peuvent être redoublées ; « angoisse de castration » est ainsi indexé à : angoisse et à : castration.

*b* / Les renvois à d'autres entrées de l'index sont indiqués entre crochets, précédés de la mention v.a. (voir aussi).

Ex. : Sein maternel [v.a. tétée].

*c* / Un tiret correspond à une sous-entrée, un double tiret à une sous-entrée de la sous-entrée précédente.

Ex. : Jalousie
— infantile
— — envers les frères et sœurs
— — envers la mère.

*d* / Les références aux notes sont signalées par l'abréviation n.

# Principales abréviations

AUTRES PUBLICATIONS

| | |
|---|---|
| *Amer. J. Psychol.* | *The American Journal of Psychology* |
| *Int. Z. Psycho-Anal.* | *International Journal of Psycho-Analysis* |
| *Int. Z. Psychoanal.* | *Internationale Zeitschrift für (ärztliche) Psychoanalyse* |
| *J. abnorm. Psychol.* | *Journal of abnormal Psychology* |
| *J. Mental Sci.* | *Journal of Mental Science* |
| *Jb. psychoanal. psychopath. Forsch.* | *Jahrbuch für psychoanalytische und psychopathologische Forschungen* |
| *Rev. franç. Psychanal.* | *Revue française de Psychanalyse* |
| *Zbl. Psychoanal.* | *Zentralblatt für Psychoanalyse* |

# TABLE

Cet ouvrage a été mis en pages
par MD Impressions
73, avenue Ronsard – 41100 Vendôme

Imprimé en France
par Normandie Roto Impression s.a.s.
ZI de Monperthuis – 61250 Lonrai

N° d'impression : 094382
Dépôt légal : janvier 2010

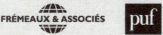

### ▦▦▦ À PARAÎTRE DÈS 2010

**JANVIER
2010**

- **L'avenir d'une illusion**

- **Cinq psychanalyses**
  Dora
  Le petit Hans
  L'Homme aux rats
  Le Président Schreber
  L'Homme aux loups

- **L'Homme aux loups**
  À partir de l'histoire d'une névrose infantile

- **L'Homme aux rats**
  Remarques sur un cas de névrose de contrainte

- **Inhibition, symptôme et angoisse**

- **Le petit Hans**
  Analyse de la phobie d'un garçon de cinq ans

- **Le Président Schreber**
  Remarques psychanalytiques sur un cas
  de paranoïa (dementia paranoides)
  décrit sous forme autobiographique

- **Au-delà du principe de plaisir**

- **De la psychanalyse**

- **Le délire et les rêves dans
  la « Gradiva » de W. Jensen**

- **Leçons d'introduction
  à la psychanalyse**

- **Le malaise dans la culture**

- **Métapsychologie**

- **Nouvelle suite des leçons
  d'introduction à la psychanalyse**

- **La première théorie des névroses**

- **La technique psychanalytique**

- **Trois essais sur la théorie sexuelle**

- **Freud et la création littéraire**
  Recueil de textes

**FÉVRIER
2010**

- **L'interprétation du rêve**

**AVRIL
2010**

- **Dora**

- **Totem et tabou**